裸一貫

５４歳からの起業

青田利一
株式会社 ウェルディングアロイズ・ジャパン　創業者

目　次

まえがき

　私は大学卒業後に社会人として最初に川崎重工を選んだ。工学部機械工学科蒸気工学の石谷清幹先生の影響である。先生の講義の中でいつも"ものの見方・考え方の大きさ"に魅せられ、性格に悩んでいた私は大いに勇気づけられた。そんなことから発電用ボイラを製造している川崎重工が身近な会社に思え、川崎重工に志願し、入社した。返済不要の奨学金月３万円（当時の大卒の初任給に相当する額）を約１年間頂いた。この川崎重工では、私の希望通りボイラ事業部に配属され、技術研究所溶接研究室の兼任にもなった。ボイラや圧力容器の製造において、溶接技術は欠かせないものである。また、金属に関連する製造業においては、溶接技術は主要な要素技術の一つである。私は下に示す様に何回かの転職を経験するが、いずれも程度の差はあるものの、金属に関連する業種で、私の人生は好むと好まざるに拘わらず、溶接技術と関係することになる。

　ここでは、３回の転職後に54歳で創業した㈱ウェルディングアロイズ・ジャパン（以下 WA Japan と略称）での20年の人生を振り返ってみる。この回顧20年は川崎重工（約17年）、日本弁管工業（約４年間）、創研工業（約８年間）、日本ウェルディング・ロッド（約４年間、以下日本ウェルという）に勤めた後に創業した WA Japan（20年）の総括である。WA Japan での20年は、創業から苦労を共にした小野崎さん（私の妻。社内に親族が入ると会社発展の障害になると考えて社内ではこのように旧姓で呼んだ。）との二人三脚の歴史でもあり、裸一貫で事業を興した中小企業が特徴ある会社に成長した一つの事例であろうと思う。このような足跡を自分史としてまとめることが、今後の自己の生き方につながるものと考え、筆を執った。後に続く人達にとっても参考になれば本望である。

思えば、地元の自治会・管理組合活動・大宮木鶏クラブ（月刊誌『致知』の読者の会）等いろいろなボランティア活動を含め、いろんなことに必死になって取り組んできた。必死になってやった事が必ずしもうまくいったとは言えないが、満足感は残った。私の好きな言葉である"事上磨練（今直面している事に全力を尽くすことが自己を磨く近道となるという意味）"を常に意識し、何のためにという"大義"をいつも考えて、一生懸命やってきた。前４社の経験が活かされた理由として、この必死が挙げられると思う。併せて、中国古典（論語など）、月刊誌『致知』や周囲の人からいろいろな事を学ばせてもらったことも大きい。何事も必死になってとり組めば、身に付くということであろう。

　この世に生を享けた誰もが、二度と無い人生だから、自己重要観を求めて生きたいと思っている。しかし、一旦生き始めてみると、煩雑な事に時間を奪われる結果、またつまらないことに拘る結果、また自己の能力に限界を感じる結果、等々の様々な理由により、高い緊張感を維持して生きていける状況になかなか至らないのも事実である。そのような時、突然予期しない何かに遭遇し、その事がきっかけで、潜在的に内に持つ何か（願望、夢などの Wants）に火が付き、事態が大きく変わることがある。それをチャンスというならば、誰にでもチャンスがある。問題はこのチャンスを活かせるかどうかである。要は普段から如何に"念じているか"であろう。

1．創業に至る経緯

（1）ある創業者との衝撃的な邂逅

　WA グループの創業者 Dr. Jan Stekly との出会いが私の人生を大きく変えた。私は1998年 AWS（アメリカ溶接学会）主催のアメリカ国際ウェルディングショーに行く機会を得た。東京ビッグサイトの国際展示場の２倍は優にあると思える展示会場であった。ある棟の２階の片隅の小さなブースで、取付・取外しが実に容易な自動溶接装置が目についた。この装置を使用すれば、補修対象の生産機器を取外すことなく、短期間で機器の補修が可能となるのである。奥には見たことも聞いたことも無いような銘柄のスプール（溶接材料を収納した段ボール箱）が雑然と積まれていた。２コマ程の小さなブースであったが、実に精力的にかつ丁寧に、５か国語を操って接客している60過ぎの技術者が目についた。彼が WA グループの創業社長 Dr. Stekly（写真）であった。そのブースでのこのような彼の言動に私は今まで想像したことも無い精力を感じた。開催期間中毎日そのブースに自然に足が向いた。最後の日には、短パンをはいて展示会場に行った。動きやすい状態でその自動機をばらしてみたいと思ったからである。展示会終了後の約１時間程度で機器と溶接材料の整理が終わり、WA グループの関係者とその家族はホテルで"ご苦労さん会"を開くという。招待を受けながらも、残念ながらその会に参加できなかった。

　この展示会開催中のブースで、Dr. Stekly と WA グループのビジネスについて話す

右端が Dr. Jan Stekly

ことができた。彼のビジネススタンスは顧客の真のニーズを理解し、そのニーズに対して具体例を出しながら自分の考えを分り易く説明し、どの顧客をもその気にさせるというものであった。実に説得力があり、自信に満ち溢れていた。彼のビジネスマインドは、顧客の立場に立って、費用対効果を常に主張するものであった。たった３日の経験であったが、彼のこのような接客姿勢は私を信用させるに十分であった。自然に WA Japan を興したいという強い思いに駆られた。当時から "表面改質技術" には興味を感じていたので、私の英語でも考え方を伝えることができ、Dr. Stekly も私の考え方と私の思いを理解できた筈である。彼自身も私の言動に興味を感じたらしい。後で分ったことであるが、Dr. Stekly が WA Malaysia の社長（Mr. Loh Ahsiang）に、実に熱く、事業家向きの日本人の話をしたという。

　この展示会場での出会いが私と Dr. Stekly の最初の出会いであった。この出会い無しには WA Japan は存在しない。実に偶然で、不思議な邂逅であった。

（2）WA Japan 創業の決意

　展示会が終わり、翌年になって、Dr. Stekly から私に "日本に行くから会ってほしい" との知らせを受けた。WA Japan を設立する話であった。子供のころから "物つくり工場" に憧れを抱いていた私には、人生で初めてその自分にチャンスが来て、"何かが変わろうとしている予感" を感じた。Dr. Stekly からすると、日本の市場は言葉、商習慣、価値観、ものの考え方などにおいて特別な市場ではあるが、なんとかこの日本に WA グループ会社が欲しいと思っていたという。二人の思いが一致したのである。しかし、問題は出資金である。残念ながら当時の私にはまとまった金はなかった。Dr. Stekly の持論（個人がそのような大きな資金を出す必要はないという考え）に妥協した。しかし、この妥協

が後の私の人生において一番大きな誤りであったことになる。この誤りについては4.5−(5)に示す。

（3）WA Japan 創業に至るまでの苦労と誕生

　当時の私は日本ウェルの本社開発部の部長で、上で述べたような状況については会社に報告していた。また、Dr. Stekly はその後2回来日して、私と市場調査を共にした。しかし、突然この精力的な Dr. Stekly が心臓発作で1999年6月10日に亡くなり、私はこの話はなくなったものと思っていた。いっぽう、Dr. Stekly はこの話を長男の Mr. Victor Stekly に話していたらしく、葬儀の2週間後には私に会社設立についての提案があった。

　日本ウェルは会社間の交渉と捉え、両社が出資し、私を社長とする構想であった。この日本ウェルで約4年間仕事をしていた私には、日本ウェルがこの事業に加われば事業は上手くいかないという確信に近いものがあったので、如何に日本ウェルに出資を断念させるかを考えた。何度も何度も話し合った結果、日本ウェルは出資を断念するが、WA Japan の代理店になる案で合意し、私は1999年9月末日をもって退職し、翌月10月18日に会社設立に漕ぎつけた。退社する2か月前から事前に会社設立の手続きを、私がそれまでいろいろ個人的にお世話になっていた和興産業㈱溝田社長との間で進めていた結果、このように短期間で設立することができた。誰が株主になり、誰が社長になり、何を拠点にビジネスをスタートするかということについては未経験なこと故、毎日が1週間に思える程長い時間に思われた。結果的には WA が90％を、私個人が10％を保有するという株式構成になった。

2. 創業前後でお世話になった方々

（1）和興産業㈱故溝田社長

　川崎重工を自己都合退職した38歳の頃から個人的にお付合いを頂いていた10歳年長の溝田社長（**写真**）には、お礼の言いようが無いほど物心両面にわたって絶大なるお世話になった。実に感性豊かで、損得でもの事を考えない気風のいい江戸っ子であった。

お世話になった溝田社長

　会社設立時には、我が事の如く積極的にかつ親身にご指導頂いた。私は過去にこのような人を知らない。労を惜しまず、次から次へと色々な人の紹介を溝田社長から受けながら、私は設立準備を順調に進めることができた。会社名についての事前調査、定款の作成、事務所探し等々行動を共にして頂いた。和興産業設立の頃の昔話をいろいろしながら、自分の事のように私に接して頂いた恩は忘れない。このような経緯より、会社設立後亡くなるまでの９年間に亘って監査役を引き受けて頂いた。無報酬であった。

　毎月１回会社に来られる姿が今でも忘れられない。厳しい経営状況に対しても我が事の如く真剣に考え、励ましの言葉と貴重な意見を頂いた。個人的には私の実兄の如く思えた。その溝田監査役を会社設立９年後（2008年）に亡くすことになった。この溝田社長がご存命であれば、今の私の人生もかなり大きく変わっていたと思う。実に残念な非業の死であった。遺言を頂いた時の慙愧に耐えない、忸怩たる思いは言葉では言い表せない。

（2）故清水茂樹博士

　前に述べた通り、私は38歳で長年お世話になった川崎重工を自己都合で退職した。新入社員の頃から34歳まで上司としてお世話になった工学博士の清水茂樹氏（**写真**）とはその後約20年間没交渉になっていた。たまたま清水茂樹氏が、当時私が勤務していた日本ウェルの技術部長に電話をされた時に、受話器を取ったの

清水先生と奥さん

が私（当時53歳）で、独特の話し方から本人が清水茂樹氏であることを察知し、再びお付き合いをすることになった。ある時、その内に退職する積りであり、その退職理由を話したところ、"会社設立後落着いたら電話をして欲しい"と頼まれ、私は了承した。会社設立して３年後から、この清水茂樹氏のお陰でほぼ毎週土曜日の溶接講座が始まり、亡くなるまでの約13年間続いた。若い人の教育をしつつ、技術的な相談に乗って頂くという主旨であった。当初より無給でお願いしたいとの清水茂樹氏の強い要望であったが、小野崎さんの案（年に１回夫婦揃って贅沢な旅行を会社がプレゼントするという妙案）を受けて頂き、人材育成が始まった。このようなこと（無報酬での支援）はあまり事例の無いことだと思う。私が川崎重工時代の４年間に清水茂樹氏の博士論文を必死に手伝ったことへのお返しであったという。有難い事であった。年齢は当時既に70歳過ぎであったが、独特の関西弁で実にしつこく質問を浴びせる教え方や新技術を探求する姿勢は老いを一切感じさせないものであった。いろいろなエピソードがあるが、紙面の関係で省略する。なお、我社での昼食は必ず愛妻弁当（関西風巻きずし）であった。奥さんの陰の支援をいつも感じた。

84歳頃から体調を崩されたため、溶接講座は清水茂樹氏の平塚の私邸で行うことになり、指導対象の新入社員は毎土曜日早朝に埼玉を出発するようになった。清水茂樹氏ご夫婦揃っての指導であった。奥さんの手作りの昼食に若い社員は舌鼓を打ったという。86歳で亡くなる前の約半年間、私は技術的な話し合いをするために、ほぼ毎月私邸に伺った。亡くなる前年の10月に私は人生最後のお礼の積りで、私の車・私の運転による伊豆旅行を提案し、その案を受けて頂き実行できた。私にとっても人生の記憶に残る貴重な旅行であった。思い出（一部を巻末に添付）としてお送りした写真集は私の感謝の気持ちであり、拙い記録ではあるが実に喜んで頂き、人間冥利に尽きるものであった。

　亡くなる2日前に、"もう1回青田君と話をしたい"と奥さんに話されたそうである。残念ながら実現しなかったが、後ほどその事を奥さんから聞き、それ程までに私との会話を楽しみにされていたことを知り、私は心の中で涙したことを覚えている。葬儀は近くの教会で行われ、小野崎さんのアイデアにより教会の壁を花で埋め尽くし、社員全員が会葬して感謝の気持ちに代えさせて頂いた。通常ミサではあり得ないというスピーチを神父にお願いし、"3分以内なら"という条件付きで受け入れて頂いた。きっと感極まると思って事前に準備したメモ以外の説明も自然に加わり、最終的には10分掛かった。その後のお別れの立食パーティで神父より、"良いお話でしたね"との言葉を頂いた。生前の清水茂樹氏に対して感謝の気持ちを十分に伝えられたという思いで、満足感を感じることができた。清水夫人が主人の没後に『うちの清水は若い人達の教育をさせて頂き、いつも輝き、いつも青田さんに感謝していました』という言葉を何回か聞かせて頂き、その度に感無量の思いであった。清水茂樹氏を亡くしたにもかかわらず、実に爽やかであった。清水茂樹氏無しには今の我社はないと言える。この清水茂樹氏の墓標には"希望"という二文字が刻まれているが、墓参のたびにいろんな局面で話した

清水先生との言葉を思い起こす（写真）。

「希望」の文字が刻まれた
清水先生の墓標

（3）事務所設置と貸工場でお世話になった方々

　私がボランティア活動の代表世話人をしていた"大宮木鶏クラブ"でメンバーの一人であった晃栄建設㈱須田社長のお世話で、与野駅前のマンションの一角に事務所を借りることが10月1日（日本ウェルを退職した日の翌日）に決まった。東大宮では老舗のソバ屋で偶然その須田社長に出会い、私の相談からその場で与野駅前の事務所を借りることができた。また、什器はすべて貸して頂くことになり、新たな出費は一切なかった。それらの什器は今の WA Japan の事務所でも使われている。

　貸事務所の近くにあった日本通運㈱与野営業所の営業課長のお世話で、貸工場として日本通運㈱熊谷事業所の倉庫の一角（10m四方の30坪）を借りることになった。日本通運㈱が川崎重工機電グループの仕事をしていたことおよび私が川崎重工出身であったことからすぐに決まった。創業1ヶ月後に WA グループから送ってもらったポジショナー一式と溶接装置（WAMS、一式）を置くだけで貸工場には余分なスペースが無いほど、実に小さな工場であった。このような与野の事務所と熊谷の貸工場を往復することはきついと思われたが、最初の社員であった小野君はいろいろな不便と苦痛にも、一言も不平を言わずに耐えてくれた。

３．企業理念とビジネスの在り方

（１）企業理念

　前述の如く38歳で長年お世話になった川崎重工を退職後、転職先の日本ウェルで出会った島田理化工業㈱武田専務の勧めで異業種交流の集いに参加し、それがきっかけで読み始めた月刊誌『致知』には、有名無名に拘わらず、いろいろな業界の成功者や必死に生きている人達が理念を大切にしている生き様が描かれており、自分自身もそのような生き方をしたいと念じていた。それ以来ずっとその読者であるが、経営者が掲げた企業理念を徹底している中小企業は成長することを、一人の読者として感動しながら毎月届けられる月刊誌を愛読させて頂いた。

　WA Japan 創業時よりこの月刊誌『致知』の読者の会（大宮木鶏クラブ）を立上げ、この会の代表世話人として、少しでも世のためになりたいと思う人達ともに、ボランティア活動に取り組んだ。そのような私自身の経験より、企業理念を創業の時点で、以下の如くビジョンとして掲げた。この企業理念をビジネスの中で徹底することが成功へのカギであると固く信じた。

①“社内にあっては報告・連絡・相談を徹底し、社外では情報の共有化に努め、顧客満足度を得る。”
　　・・・社内では報告・連絡・相談を徹底し、社外では自社の情報をマル秘とせず顧客に提供し、顧客との間で双方向の情報交換を徹底することにより、ビジネスを創出する。

②物事を多面的に且つ長期的に捉え、真髄を掴む。
　　・・・尊敬する安岡正篤先生による“思考の三原則”であり、いかなる物・事・人も多面的に且つ長期的に観ることにより、本

質が分り、真髄を掴むことができる。

③明るく、前向き思考で、即行する。
　・・・人としての成長にはこの三つが不可欠である。

　併せて、５Ｓはものづくりの基本であり、"見えないものにも５Ｓ"は私の主義である。この５Ｓこそ、伸びる会社になるためには重要であると常々言ってきた。"見えないもの"とは頭の中にあるアイデア、消え去る失敗事例、等々一杯ある。些末な事かもしれないが、超大企業でも現場のトイレは実にひどいものである。私は創業以来数年間一人で会社の全てのトイレ掃除を徹底したが、トイレ掃除を社長自らが率先垂範することが５Ｓ徹底の近道であると考えたからである。

（2）ビジネスの在り方

　我社が属するメンテナンス業界においては、我社は最後発の会社である。競合他社は殆ど大手あるいは社歴の長い中企業である。このような中で、生き残るためには特異な開発型中核企業でなければならないと考えた。開発は単に技術開発だけではなく、人材開発（人材育成）および顧客開発が含まれる。このような開発を展開しつつ、我社の３Ｒ（Recycle, Re-use, Resource saving）事業を通じて社会に貢献することが我社のビジネスの在り方である。とくに、経営資源の限られる我社がこのような開発を推進するためには、我社独自のものの考え方が必要である。常にこのような事を考えていたが、後の創業約10年後に試みた経営革新計画の実践は我社にとっては大きな転換となった。

　私がお世話になった川崎重工時代に、上司の溶接研究室長であった寺井博士と一緒にデンマークのコペンハーゲンで開催された IIW（国際溶接会議）年次大会に出席する機会を得た。開催期間中に、"青田君、

今日は有名なある人と夕食を共にするが、一緒に来なさい"との誘いに二つ返事でお受けし、故増渕教授（マサチュセッツ工科大学）と会うことができた。外見は小柄で好々爺と見える増渕先生が突然"理想の継手溶接とは"と独自のスマートウェルディングについて話された。溶接施工、計測、検査が自動的に行われる無人化溶接である。駆け出しの私にも実に新鮮に聞こえ、このスマートウェルディングという言葉は私の記憶から消えることはなかった。後の経営革新計画の実践においてこのスマートウェルディング（肉盛溶接におけるスマートウェルディング）が活きることになり、我社にとっては経営哲学とも言えるものとなった。このちょっとしたきっかけが大きな財産となり得た。

４．WA Japan の事業の進展

４．１　事業開始と草創期の塗炭の苦しみ（1999年〜2000年）
（１）事業開始の１年

　1999年の会社設立後のやることの多い状況下で、小野崎さんは明る
く、積極的に支援してくれたが、会社が設立されたからといって仕事が
直ぐにある訳ではない。ビジネスに必要な技術は無い、顧客は知らない、
人はいない、資料は無い、業界は知らない、という無い無い尽くしの状
態から始めた訳である。毎日調査と資料作成で深夜まで仕事をし、自宅
が遠いわけでもないのに、事務所で寝ることもよくあった。事務所にい
る方が精神的に救われたからであった。作成した資料を顧客と思われる
会社に深夜にファックスするという日が続いた。果たしてやろうとして
いることは実現するのだろうかという不安がいつも覗いた。そんな不安
を払拭できるのは仕事に専念している時だけである。自分の心の中にあ
るプライドと現実には大きな乖離があり、考えれば考えるほど、苦しさ
は増した。自分がやろうとしているビジネスの姿を具体的に描こうと努
めた約３ヶ月であったが、結果的にある程度描けるまでに４年掛かった。

　愛知産業㈱に勤務していた小野君を以前から知っていたこともあり、
その仕事振りに感心していた私は当時の愛知産業㈱の井上社長に直談判
し、小野君の同意の下、引き抜きに成功した。青田・小野崎・小野の体
制で設立の翌年2000年春から実際のビジネスがスタートした。私は川崎
重工退職後の中小企業での経験より、ビジネスにおいては顧客の真の
ニーズを知ることが原点であり、真のニーズの発掘には直接取引（ダイレ
クトビジネス）が一番だと考えていた。したがって、古巣の川崎重工を
はじめ大手企業の関連する部署に手当たり次第にアプローチした。約20
年間溶接業界にそれ程深く関係していなかったために、見当違いの無駄
も多くあり、門前払いも多々経験したが、このような試練から私はいろ

いろな事を学んだ。余分にやった事も一生懸命やれば必ず後で生きるということである。むしろこの無駄な余分が大事であると言える。

　我社の定款はメンテナンスの為の生産設備の補修、溶接材料・溶接装置の販売である。しかし、生産設備の補修に力を入れると溶接材料・溶接装置の販売は競合会社が主要な顧客となり、結果的に事業になり得ないことが分った。顧客の生産設備は、使用環境から生ずる表面摩耗および表面腐食が激しい場合には、設計寿命以内でも、部材の交換あるいは補修を必要とする。我社のメンテナンスビジネスはこの表面の耐摩耗と耐食ビジネスである。この耐摩耗・耐食技術により、機器の寿命を延命する事を通じて資源を有効利用することが我社の社会的使命である。したがって、このような技術を必要とする顧客を対象に営業活動に専念することとした。前に述べた通り、いろいろな試練より、創業以降の10年間は摩耗の塊とも言えるセメント会社、電力会社および製鉄会社向けのビジネスに専念することとなった。

　最初の1年間の受注はたったの5件であった。しかし、注文を頂いた時の喜びは今も忘れられない。とくに、創業間も無い我社に注文を頂いた電気化学工業と太平洋セメントには今も感謝の気持ちで一杯である。注文を頂いた時には、穴が開くほど何度も何度も発注書を読み返した。いい仕事をせねばとのその時の思いは今も絶対に忘れない。しかしながら、頭に描いている大きなビジネスと現実の小口受注との乖離は55歳の私には苦悩であった。創業間もない2000年9月に小野君をヨーロッパに送り、研修を兼ねてヨーロッパでのメンテナンスの実態を学んでもらった。帰ってきた時の小野君が一皮むけたように思えた。創業2年目に当たる2000年10月に岩槻に貸工場を見つけ、移転することにした。移転前日に3人揃って浦和の"小島屋"で鰻を移転祝いに食した。浦和で有名な小島屋の鰻であったが、その時点の売上げからして貸工場の経費を払えるかどうか心配しながらであった。

（2）岩槻工場への移転

　2000年９月のある日曜日に、岩槻市内探検を兼ねて小野崎さんと義母の３人でドライブした。当時の岩槻市古ケ場の岩槻工業団地に"貸工場"（写真）と記した物件に小野崎さんが気付き、さっそく電話で確認し、その後の交渉ですんなりと貸工場が決まった。然し、このような大きな貸工場を運営するだけの仕事量が果たして確保できるかどうか実に不安であった。この不安な気持ちの私を後ろからドンと押してくれたのが小野崎さんであった。30坪が175坪になるのである。たったの175坪が実に大きく見えた。２階には貸事務所もある。貸工場に手持ちの装置を入れても、写真に示す様に空きスペースだらけであった。

（ａ）貸工場の北半分　　　　　　　　（ｂ）貸工場の南半分

貸工場の全景（175坪、５トンクレーン２台）

４.２　無我夢中の草創期（2000〜2005年）
（1）継続的な受注の苦しみ

　自社製品を持たない我社のようなメンテナンス事業において、受注を絶やすこと無く、継続的に仕事を受けることは会社経営においてキャッシュフローの観点より極めて大切な事である。１件の仕事を受注すること自体大変であったが、数少ない社員で継続して受注することは猶の事難しいことであった。月１件の受注が夢であったが、初年度の2000年は受注物件が５件（電気化学：２件、太平洋セメント：２件、川崎重工：１件）であった。徐々に仕事量が増えても、仕事が途絶える時の苦しみ

ほど辛いものはない。

　摩耗や腐食が予想される会社があれば、飛び込み営業をし、また仕事を切らした時には限られた社員全員でニーズの発掘に努めた。事前に業界を調査し、宝くじを当てるような思いで訪問計画を実行するものの、門前で適当にあしらわれることも多々あり、惨めな思いもした。今思えば実に無駄な事も多かった。しかしながらこのニーズ発掘のプロセスが新規顧客開発には欠かせないもので、結果的には雑知識を得ることができた。また、仕事を得たいという思いから多くの失敗もしたが、一つのケーススタディとなった。雑知識もそれらを関連付けることにより、立派な知識になるものであることを学んだ。どんなことでも一生懸命にやれば、着実に何かが身に付いているのである。ある時、伊豆半島の山奥にある採石会社に仕事を求めて、実習生のアリフと共に日帰り出張した。成果も無く、交通事故を起こすという散々な出張であったが、その帰路で荒波の駿河湾越しに見た富士山（**写真**）は実に見事であったことを覚えている。

　このような状態は創業後3・4年続いた。社員が10名足らずの時は早く倍になればと思い、10名を超えると早く20名になれば、という思いが常にあった。しかし、実際に大切な事は人数ではなく、ビジネスモデルに応じて、会社の内容が充実しているかどうかであ

駿河湾越しの富士山

り、仕事の繁閑に拘わらず人の育成と技術開発を常に実施しているかということである。“小さな雪だるま”も芯を固めていると、それを転がすだけで大きな雪だるまができるのと同じである。

　この時既に清水先生による溶接講座は始まっていた。当初は受講者

全員がWES1級（WESとは日本溶接協会による溶接技術者管理資格制度である）を目指した勉強会であった。毎週土曜日の朝9時から夕方6時までであり、時には夜9時頃になることもあり、清水先生は深夜に平塚の自宅に帰宅されることもあったそうである。最初のWES1級の受講者は全員（4人）が初めての挑戦で合格した。4人の受講者全員が1級に合格する事はなかなか無いことであったらしい。自分自身が合格する以上に嬉しく、小躍りする程誇らしく思った。

（2）資金繰りの苦しみ

　創業後数年間は運転資金を銀行から借りることができず、資金繰りには大変な思いをした。100万円のお金でも、埼玉県の制度融資を受けられる場合には必死になって申請した。青田家の僅かな貯金を引き出し、会社の普通預金口座に振り込んで月末の支払いを無事終え、顧客からのその後の入金で個人の口座に戻すという方法で都銀出身の小野崎さんは実に正確に経理をこなし、何度も厳しい状況を切り抜けてくれた。実に胃が痛くなる思いをさせた。しかし、事業規模が小さくても徐々に毎月の支払い金額は増え、創業数年後には個人のお金で切り抜けることはできなくなり、小野崎さんの交渉でやっと主力取引銀行の埼玉りそな銀行からの運転資金の貸付を受けられるようになった。小野崎さんには白髪が増える思いをさせてしまったが、この貸付は我社の事業拡大を側面から支援してくれた。

（3）新人採用ができない苦しみ

　創業以来、人の育成無しに会社の成長は無いと信じていた。私と小野君の二人しかいない時から、マンツーマンで勉強会をしたことを覚えている。併せて、人の採用には力を注いだ。創業3年目からエンジニアの卵を求めて、大学の企業説明会に参加した。当然のことながら、最初

のうちは我社のブースには誰も来なかった。そんな時にはいつも、ブースで資料作りをしていた。その内に申し訳程度に２・３人が来るようになった。しかし、そんな時我社の説明はせず、『なぜ就職するか？』、『会社とは？』、『いい会社の選び方は？』、『給料とは？』等々の話を学生にしてあげた。その中で気に入った人がいると、後日会社訪問をするようにと伝えることが常であった。

　我社のメンテナンスビジネスには、技術者と同時に技能者も必要である。そのような技能者の卵を求めて、高校にも足を運ぶようになった。しかし、進路指導の先生とは採用に関する考え方が合わなかった。企業というものを知らない先生達の多くは早く就職先を決めることに躍起で、生徒に合った進路指導をする先生は実に少なかったと言える。そのような姿を見て、校長および教頭先生といろいろ進路指導の在り方を議論したことを覚えている。また、実際に採用したものの、彼等が我社の育成方針を理解できないということも経験した。このような高校側の実態より、高校生を採用するという意思は無くなった。

　そんな状況下のある時、JIEAC（ジーク、日本インドネシア経済交流協会）のスタッフが国の実習生制度についての説明に来社され、小野崎さんがその説明を真剣に聞き、私は江東区のJIEAC研修所に足を運ぶことになった。そこで見たまだ二十歳前後のインドネシアの若者が私に何かを請うような眼差しを送ったのが印象的であった。みんな必死に日本語を含めて学ぼうとする姿勢を感じた。この１日の経験より、私は技能の一部をインドネシアの若者に託すのも一案だと思うようになった。

　このような経緯でインドネシア実習生の採用が創業５年目の2004年より始まった。インドネシア実習生の日本滞在期間は３年である。この間、彼らは原則としてインドネシアに帰ることはできない。母国インドネシアとはいろんな意味で異なる日本で３年間生活しなければならない。お金儲けで来日しているのだが、きつい試練である。そんなことを推し

測って、私は日本のお父さん
に、小野崎さんは日本のお母
さんになることを常に意識し
た。彼等を決して小間使いす
るのではなく、技能を伝授す
るようにと、指導する人達に
もお願いした。要は日本人と
同じ扱いをするということで

ソフトボール大会で準優勝

ある。会社のあらゆる行事にも参加させ、同じように出張させ、同じよ
うに仕事を与えた。仕事振りに応じて、ボーナスも支給し、昇給もさせ
た（ボーナス支給と昇給は JIEAC では承認されていない事であった）。
おそらくこのように対応している日本の受入れ企業はほとんど無かった
と思う。

　前述の如く、ソフトボール大会（写真）をはじめとするお祭り、創立
記念旅行などのすべての行事に参加させた。また、社外では３年間岩槻
市の日本語交流プラザのお世話で標準の日本語を学び、人形の町で有名
な岩槻祭りに参加し、年末の"わいわいマーケット"（写真）を楽しみ、
さいたま市主催の日本語スピーチコンテストにも参加した（写真）。我
社で３年間を過ごした実習生全員がＮ３あるいは準Ｎ２の日本語資格を
３年後の帰国時には手にしてくれた。技能習得と併せて、日本で学んだ
ことの証になると考えたからである。お陰様で、我社で技能・技術を学
んだすべての実習生は品のいい標準日本語を話せるようになった。

（4）真のニーズを模索する必死の苦しみ

　ビジネスは顧客ニーズに基づくものであり、その為のシーズの確立
が欠かせないものだと私は信じ、創業以来一貫してシーズの開発に力を
注いだ。真のニーズを仕入れるためには、自ら足を運んでキーマンから

初めての創立記念食事会

人形の町での岩槻祭り

わいわいマーケットでの実習生達

日本語スピーチコンテストでの Akmal

顧客の要望（ニーズ）を仕入れる必要がある。前にも述べたように、そのような考え方から創業当初より直接取引に拘った。

　当然のことながら、ニーズは大きい方がいい。１社のみのニーズではなく、業界全体のニーズを知りたい。また、顧客特有のニーズもある。このようなニーズを競業他社よりも早く知りたいと思うのは当たり前である。社歴の浅い会社がこのようなニーズに辿り着くには、特異な営業が必要である。この特異な営業とはどのような営業かということを考えたが、我社には営業畑で育った営業マンはいない。しかし、私には何回かの転職があり、他社の営業マンに比べて比較的幅広い知識を持ち合わせていたので、このような知識を引き出しに入れて常に話すように心掛けるようにし、会社は小さくても特徴ある営業に徹した。キーマンは

常に新しい発想、新しい技術、他業界の情報等を求めている。"今度はどんな情報を持ってくるかな"と思ってもらえれば、より多く会えるきっかけができる。そのような事を常に考えて営業活動に当たると、顧客にとって魅力ある営業活動ができる筈であると考えた。我社の営業は顧客には無い技術情報の提供と提案営業であると信じた。営業マンにも私の知識をベースにいろいろな事が話せるように指導し、提案営業こそ我社の営業活動の根幹であると意識づけた。意見はいろいろあったと思うが、その為に私は先頭に立って奔走する姿勢を貫いた。苦しい事も多かったが、また楽しい営業活動でもあった。

　いっぽう、我社ができることは知れており、出来もしないことにチャレンジすると大怪我をする。大言壮語するのではなく、自社の器を考えて受注する姿勢も大事である。新しいことにチャレンジすると、会社はモチベーションが上がる。この新しいちょっとしたチャレンジとモチベーションの兼ね合いが大事である。したがって、毎朝の朝礼では新しい顧客情報を常に話すように心掛け、併せてどのようにチャレンジするかを具体的に話すようにした。毎日の朝礼では話題に事欠くことは無く、いつも30分はかかる長すぎる朝礼ではあったが、その気にさせる朝礼を心がけた。社歴の浅い会社にとって、このような朝礼が社員教育の一つになると考えたからである。

（5）事業の在り方を見出す嬉しさ

　事業の在り方が明確になれば、ビジネスが生まれる。ビジネスが明確になればなるほど、成功確率は高い。創業3・4年間はこの事業の在り方が曖昧であり、描けなかった。したがって、コンスタントに受注することは極めて難しい。当時お世話になっていた会計事務所の所長からこの頃"そろそろ事業をたたんではどうですか"というような事をほのめかされたことを今も覚えている。

試行錯誤を繰り返していくうちに事業の在り方が分かり、我社がメンテナンス会社に徹すれば徹するほど、溶接材料および溶接装置の販売先が競合会社で、これらの販売が難しいことが分り、機器の再生および新作が我社のビジネスであることに気づいた。こんなことが分るまで数年掛かった。

　いっぽう、このようなメンテナンス事業に徹すれば、顧客のメンテナンス時期が春と秋に集中することから、どうしても仕事の繁閑が生まれる。繁閑の差が大き過ぎれば、会社経営は成り立たない。このようなメンテナンス事業を円滑に運営するためには、いろんな業界向けのビジネスを創出することにより仕事の集中を避け、併せて春と秋の一時期に集中する短納期の現地施工と納期を長く設定可能な工場施工をうまく組み合わせる。さらに、自社製品が生まれれば、プロダクトミックスをバランスよく組み合わせた見込み生産を取り入れる。このような考え方が経営のしっかりしたメンテナンス会社に成長する秘訣であると考えた。その為には、以下の事が重要である。

①ビジネスを代理店に依存せず、直接取引を展開する。その過程で各業界のキーマンを見出し、キーマンとの情報共有を通じて、バランスよく現地施工と工場施工アイテムを事前に情報として仕入れる。

②メンテナンス時の必需部材製作を行うためには、キーマンを通じて顧客の真のニーズを発顕し、シーズの開発を徹底する。このシーズは我社独特のもので、他社の追随を許さないものでなければならない。

③顧客の求める必要部材の自社製作には溶接以外の要素技術が要求され、この要素技術を身に付け、併せてネットワークを構築し、信頼できる補完関係を常日頃から意識しておくことが肝要である。

④このような業態の変革には常に人材が求められ、その人材の確保に徹することが大事である。

　創業数年後に、このような考え方を再認識した。この事はメンテナンス会社として生き残るためには未来永劫に言えることである。事業の拡充とともに、Innovation の重要さを意識し、開発型中核企業になるためには、人材育成、技術開発、顧客開拓に徹する必要があると常々認識した。仕事の繁閑に関係なく、つねに社長自らこの Innovation を拳拳服膺_{けんけんふくよう}し、実行することである。このような考えが後の経営革新計画の申請・実行に至るのである。このような姿勢が社員に伝わることにより、社内に"日に新たに、日々に新たに、また日に新たな気持ち"で取り組む姿勢が生まれる。強固な経営基盤が生まれ、会社としての地力がつくのである。

（6）人材育成活動の開始と技術論文の寄稿

　補修を主とする肉盛溶接技術によるメンテナンス事業には、現状の部材の表面状態をよく確認し、そこから解決策を見出すことが大事である。現状を知ることがビジネスの第一歩である。この現状認識より解決策を見出すためには、現状を正しく認識できる良質の技術者が必要となる。

　既に述べた通り、創業2・3年頃より清水先生の溶接講座が始まった。清水先生の独特の教え方は当時スタッフであった生徒には違和感があった筈である。いかなる状況があろうと、弁解を絶対に認めない性格は時には鬼のように思える。しかし、安易に弁解を認めるとその人の成長が止まると考えて、既に好々爺であった年齢にも拘らず清水先生は妥協されなかった。何度か清水先生より、"もう辞めたい"という言葉を聞き、その度に会社の実情を伝え、納得して頂いた。このような姿勢を貫き通すことは普通の人にはできない事である。このような厳しい試練

の結果、先にも述べた通り４人の受講者全員が最初の挑戦で、WES１級に合格した。その吉報に清水先生の声は、喜びの余り、震えていたことを今でも思い出す。

　このような毎週の溶接講座、新しい技術を創り出す活動、顧客との真摯な対応が長年続いた。また、事ある毎に具体的に、私はビジネスにおける"大切な振る舞い方"を分り易く社員に説明した。お陰様で、私が顧客訪問をした際に、"お宅はどのような社員教育をしているのですか"と驚きの質問をされることが大企業のスタッフから何度かあった。社員が私の言うように社外で振る舞っていてくれたのである。嬉しい事であった。

　我社がどんなに短期に頑張っても、会社としての偏差値は急には上がらない。創業年数、社員数、売上高、経常利益、社屋、福利厚生設備等どれをとっても経営資源の豊かな大企業および創業年数の長い中企業にははるかに及ばない。しかしながら、大卒の定期採用が大切であるといつも思っていた私はインターンシップ制度、産学協同、定期採用を抱き合わせにして大学に足しげく通った。創業６年目の2005年よりインターンシップが始まった（**写真**）。インターンシップの報告会には派遣社員を含め社員全員が積極的に出席した。このインターンシップの翌年から定期採用が実現した。併せてこの頃より、産学共同も始まった。インターンシップ・産学協同・定期採用により、我社の社員が定期的に増え、それと同時に売上げが右肩上がりに増えるようになった。少しずつ貯めておいた技術的ネタを学協会誌に発表する

はじめてのインターンシップでの報告会

ようになった。論文の技術的レベルは別として、このような論文発表および定期採用は毎年実施できた。私のプライドであり、鬼の清水先生からもお褒めの言葉を何度か頂いた。私と清水先生の共通の願いであったからである。

　我社のISO9001品質保証マニュアルの取得活動も特異なものであったと思う。この品質保証マニュアルの作成は『標準化であり、Traceabilityの確立であり、人育ての為の哲学』であると捉えた。標準化は新入社員が早く成長するための必要条件であると考えて行った。スマートアイテック㈱の藤井さんの絶大な支援を頂きつつ、基本的には全ての作業を自分達で行った。取得スケジュールに従って担当者がそれぞれ請け負った作業を行い、定期的に打合せながら進めた。このプロセスは当時我社に在籍した人達にとっては、仕事の進め方を学ぶ絶好の場であったと思う。挑戦している間、工場の正面には『ISO9001認証取得中』と大きく公表して、有言実行に努めた（写真）。我社ではISOはバイブルである。この自力取得も、人材育成手段として大いに自慢できることであったと思っている。

"ISO9001認定取得中"を公表

（7）開発型企業への取組開始

　多忙の中でも、開発マインドは実に高かったし、みんなよくついて来てくれた。今思うと、この頃が最も会社として開発ポテンシャルの高い時期であったと思う。その証拠に、経営状況が厳しく、売上げに喘いでいるにも拘らず、時間を見つけて、原始的な方法で、開発を試みた。

産学共同では、日本工業大学、芝浦工業大学、埼玉大学にお世話になった。少ない委託金ではあったが会社の状況と私の思いを伝え、納得して頂いた。この産学協同はずっと続いた。それらの成果は社外に発表し、知的所有権が得られる場合には積極的に対応した。指導の先生にも比較的恵まれた。

　併せて、我社にはレベルの高い技術者が、経験の豊富な技術者が不足している状況であった。そのような背景より、草創期よりお世話になった外部の専門家の藤井さんには同じ目標を共有して頂き、得られた成果は筆舌に尽くしがたい。とくに、スマートウェルディング™ の開発においては、藤井さんの支援無しには実践できなかった。藤井さんの開発に向けた熱い思いも私には実に嬉しいもので、社員以上の貢献であったことをこの回顧20年に残しておきたい。

　また、企業において長年の経験を有する人達（鈴木さん、本田さん、依田さん）にも感謝である。社歴の浅い会社が人の育成を日常の仕事の中で展開するためには、そのような経験者の存在が必要であると常日頃から思っていた私にとっては、これらの人達の側面からの支援は"孫の手"のような貴重なものであった。感謝感激である。外部の人達に"その気になってもらう"あるいは"その気にさせる"のも社長の手腕であると言える。

　このような産学共同を展開しながら、清水先生の技術支援、外部の専門家および限られた社員との協力関係によって、開発活動ができるようになった。⑹項で述べたように、得られた成果を関連学協会（月刊誌『溶接技術』を含む）に発表するという習慣が確立でき、人材育成の在り方、肉盛溶接技術の動向、耐摩耗・耐食肉盛溶接技術についての論文を執筆するようになった。出版社から"今度このような企画をしていますが、貴社の論文を期待しています"との声が掛かるようになった。多忙の中での投稿で、まさしく"忙中閑有"であった。中でも、2017年に

火力原子力発電誌に掲載された論文"微粉炭焚きボイラのウォールディスラガー周りの火炉壁管への耐摩耗肉盛溶接の適用"が2018年度の論文賞の名誉に浴した（**写真**）。中小企業の我社がインフラ設備のメンテナンス技術に社運をかけて臨む姿勢を火力発電業界に示したものである。溶接施工法の開発・実機への適用・長時間使用後の特性について述べたもので、清水先生にも自慢できる快挙であると思う。これらの技術論文は付録として添付している。

4.3　事業が軌道に乗り始めた成長過程（2005～2010年）

（1）社会的活動への参画

　私は15歳頃から人前に出ると極度の赤面症で話せなくなるという性格に悩んでいた。この性格を打破するために、いろいろなボランティア活動への参加、自ら人前に立つこと（会の世話人、幹事等々）などで性格改造に取り組んだが、なかなか状況を変えることはできなかった。社会人になっても結婚式の司会、地域の自治会活動等をはじめ、いろいろチャレンジした。

　地域の自治会活動、管理組合活動、創業直前より行っていた大宮木鶏クラブ活動（月刊誌『致知』の読者の会）、46歳頃から始めたAOTS（後のHIDA）への協力活動（非常勤講師活動、海外技術者への支援活動）、インターンシップ、高校・大学への講演活動、岩槻工業団地事業協同組合活動などに積極的に、主体的に参加した。このような活動には責任者としての立場で参加したものが多かった。責任者になるとボラン

ティア活動と言えども、責任を伴い、真剣にならざるを得ないからである。とくに、大宮木鶏クラブ活動にはかなりの精力を注いだが、約10年でその活動に終止符を打つ時の残念な思いは今も忘れない。成功したもの、半ばで活動を停止せざるを得なかったもの等あるが、いずれの活動においても、一生懸命であった。そのお陰で、活動によって貴重なものを体得することができた。

（2）お祭り・行事を意識した取組み（伸びる中小企業の必要条件）

　私が川崎重工を退職する頃（1983年）、最も退職者が多い組織は１位が自衛隊、２位は忘れたが、３位はどういう訳か川崎重工だという話を聞いていた。その真偽は確認していないが、多かったことは事実である。川崎重工の原子力本部という約200人程度のエリート集団の中で、ほぼ同時期に退職した人は私を含めて４人もいた。その退職理由は定かではないが、原子力本部という組織が活性化していなかったということも理由の一つであったと思う。

　伸びる企業と伸びない企業にはそれぞれ必ず何か因果関係がある筈である。できれば伸びる企業でありたいと思うのは経営者の共通の願いである。当時伸びる企業の共通点を調べてみると、以下の３つであった。

　①社内にお祭りが多い会社
　②威張ったボスがいる会社
　　（威張ったボスとは精力的に仕事をこなし、部下をその気にさせ、
　　使いこなす人である。）
　③しっかり、マネージメントがされている会社

　戦略があるというのは５番目で、上位３番には入ってこないのである（もちろん戦略があることは大事である）。とくに中小企業の場合に

は、伸びる会社の条件はこの３つであると思っている。このような事を私は強く意識して会社運営に当たった。お祭り・行事とは会社の状況に応じて、全員参加のイベントを持ち、会社（あるいは組織）を挙げてそのイベントを支える仕組みである。何故このイベントが大事かというと、お祭りでは好きな人も嫌いな人も一つにならざるを得ない。その中で、意外と情報を共有化でき、好き嫌い意識が薄れるのである。好き嫌い意識ほど中小企業のチームワークを阻害するものは無い。

　そのような考え方から、また私のお祭り好きの性格も手伝い、創業当時よりできるだけ多くお祭りを持つように意識した。新年会、新入社員歓迎、花見、インターンシップ歓迎・発表会、暑気払い、スポーツイベント、飲み会、創立記念行事、忘年会、他社への訪問、我社への見学会、その他何かあればその事にかこつけて行事を持つことに努めた。上手・下手や好き・嫌いなど関係ないのである。要は情報を共有することが大事である。これらの事は必ず活性化につながる。このような事が嫌いな人は必ずいるが、そのような人にも参画させ、成果が出るように支援の手を差し伸べ、上手くできれば大いに褒め、自己重要観を高めてあげることが大事である。

　このようなお祭り・行事を通じて組織の活性化を図る努力を怠ってはならないと思う。それが、伸びる中小企業の経営者の資質の一つでもあると言える。いろいろな行事の中で心に残るものを添付資料として示す。

（3）人材採用に向けた数多くの活動への積極的参画

　偏差値の低い、社歴の浅い我社のような会社にとって、学卒の定期採用はそう簡単ではない。しかし、採用活動無しには、定期採用は実現しないし、その継続には当然至らない。

　各種企業説明会、埼玉県主催の各種事業説明会、外国人および中途

採用を対象とした企業説明会、インターンシップの積極的受入れと成果報告会、産学官主催の各種行事などに積極的に参加し、発言することにより、我社の存在を知って頂く努力を徹底した。お陰様で少しずつ社名と社長名を知って頂くようになった。また、企業説明会へのお誘いの声が掛かるようになった。小企業とは言え、社長自らがこれらの場に直接参加する企業は殆ど無かったが、毎年年間10日以上はこの種の活動に参加した。結果的には、インターンシップ生の採用および産学共同活動が学卒の定期採用にもっとも効果的であった。

　そうしているうちに、インターンシップの経験から入社を決心、あるいは産学共同で我社の特徴を知って頂いた指導教官の口から推薦を頂くという二つの方法が新卒の定期採用を可能にした。このような事がきっかけで、2007年4月より、採用人数は少ないものの、我社はほぼ毎年学卒を採用できるようになった。しかしながら、その後も毎年採用活動に奔走した。

　大学の内定率が10月になっても5・6割という状況下であった2011年、我社の人材採用活動がNHKの目に留まり、カメラが3日間会社に入ることになった。2011年11月19日（土）のゴールデンタイム（午後7：30〜8：00）の『特報首都圏』という番組で我社の求人活動、インターンシップ参加状況、社内での人材育成状況などが紹介された。この放映は我社にとって有難いものであったが、それによって求人状況に変化が出ることは無かった。当時は新卒の約3割の人が就職したその年に自己都合で退職するという時代で、ミスマッチングは大きく問題視されていた。偏差値の高い大企業だけが就職の対象ではなく、本人に合った中小企業への就職指導も進路指導の先生の役割であると思う。しかし、就職経験が無く、企業で働いたことも無い進路指導の先生には到底無理な注文ではあった。

4.4　業態の変革を意識し始めた時期（2009〜2015年）
（1）毎年の創立記念旅行と10周年記念

　小野崎さんと一緒に始めたこの事業に無我夢中で取り組んでいると、毎年が矢のように過ぎ、その年の創立記念旅行で創業年数を意識する状況であった。創立後数年が経ち始めた頃から、規模は小さいものの、かなり会社らしくなりつつあった。黒子になって八面六臂の活躍をしてくれた小野崎さんに負うところが大であった。毎年企画する創立記念旅行は正月を迎える思いであった（**写真**）。毎年創立記念旅行担当が代わり、幹事の人柄及び行き先で雰囲気も変わるものの、全員が積極的に協力し合いながら、実に楽しく、まとまりのある旅行が毎年できた。全員が家族のようで、争いごとなど一切なく、社長として感謝する思いであった。楽しい創立記念旅行先から現地出張に向かうこともあった。松葉杖をついてでも参加することもあった。創立記念旅行で鮮明に残っている思いは全員が一室で宴会を楽しめるようになった時、大きな部屋を借りきって宴会ができるようになった時、こんな時は涙が出るほどうれしかった。

　このような毎年の記念旅行は1泊2日のバス旅行が定番であったので、“10年偉大なり”という10周年は2泊3日という意見が社員全員の暗黙の願いであった。10周年記念旅行とその式典担当が決まり、仕事で

上ノ山温泉からの山寺にて記念写真（9周年）　　　首里城にて記念写真（10周年）

忙しい状況であったが、みんな
笑顔が絶えず、楽しそうに計画
を練っている姿は本当にいい絵
になった。この様にして、10周
年記念沖縄旅行が決まった。お
世話になっている清水先生ご夫
妻、外部の専門家である藤井さ
ん、WA Malaysia の父とも言

白川郷にて記念写真（11周年）

える Mr. Loh Ahsiang を招いた。経営者冥利に尽きた。初日にはホテ
ルで会場を借り切って記念式典を開催し、皆で祝った。楽しい、楽しい、
沖縄10周年記念旅行であった。その詳細は添付資料に示す。

（２）経営革新計画の申請と経営革新モデル企業受賞

　前にも述べた通り、川崎重工時代の32歳の時にコペンハーゲンで、
MIT（マサチューセッツ工科大学）の故増渕教授からスマートウェルディ
ング（継手溶接施工における無人化）についての話を聞かせて頂いた。
このスマートウェルディングはその後も常に頭の片隅にあった。
　会社設立後数年経った段階で、地方自治体が中小企業向けに推進し
ている経営革新計画の実践は銀行からの運転資金借入の際にも有利な条
件になるものと考え、経営革新計画の申請を考え、実行した。肉盛溶接
施工におけるスマートウェルディングを技術的なテーマとし、外部の専
門家の藤井さんの技術支援により、人を育て、併せて社内の営業活動を
強化しながら、受注を右肩上がりに飛躍的に増大させることを考えた。
申請は埼玉県の担当窓口で行ったが、我社のような中小企業がそのよう
な無人化溶接を実現するなどとても・・・、との反応で軽く一蹴された。
それなら我社に来て実態を見て判断して欲しいとしつこく食い下がり、
工場での審査を受けることになった。約２時間程度説明したが、審査官

の一人は耳慣れない言葉の連続で持久力が続かず、殆どうたた寝をされていたことを今でも覚えている。結果的にスマートウェルディング™の実現とそれによる事業拡大は経営革新に値するとの考えより、承認された。毎年、進捗状況、人材採用状況、売上高の推移等を詳細に報告することが義務付けられた。

このスマートウェルディング™の考え方を図に示す**（写真）**。スマートウェルディング™は我社にとっては"不易流行"そのものである。"不易"とは古いものではあるが変えてはならないもの、我社においては溶接技術、検査・計測技術である。"流行"とは新しいもの、我社においてはIT技術である。いかなる業種においても、この不易と流行を経営の中で強く意識し、実践することが、会社を活性化せることになる。

この経営革新計画の推進は、藤井さんの全面的な支援を頂いて実行することができた。とくに、肉盛形状のレーザーによる計測とそのデータ処理ソフトの開発は藤井さんの独創的なアイデアによるところが大であり、現場施工においてその妥当性を検証しながら、成果を確認しつつ進めた。このような開発の成果はWAグループ全体会議で報告し、スマートウェルディング™という言葉はグループ内に浸透・定着した。最終的に技術的な内容、人材育成状況と売上高の推移を詳細に埼玉県に報告し、

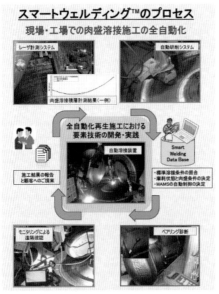

無人化をめざす
スマートウェルディングの考え方

2011年に県の経営革新モデル企業に指定された。まさしく"不易流行"による成功事例である。この指定の報を受けた時の嬉しさは格別で、藤井さんへの感謝の気持ちで一杯であった。個人的にはこの時に、経営者としての自信を少し感じることができた。我社が経営革新計画モデル企業に指定されたという情報は2・3日で岩槻工業団地内にも広がった。予想をはるかに超える周囲の反応であったことにも驚きを禁じ得なかった。当時県内の2261社の申請企業のうち、我社を含む4社が2011年度のモデル企業に指定され、さいたま市のスーパーアリーナの赤い絨毯の敷き詰められた会場で盛大な授与式が開かれた（**写真**）。

表彰式の様子　　　　　　　　上田県知事との記念撮影

（3）彩の国工場指定

　私が30代でお世話になった日本原子力研究所の藤村博士が私によく話されていたことを思い起こす。"仕事は同時に3つ以上するべきである。そうすると、3つの中で1つは上手く進む。上手く進んでいる仕事をしている時はモチベーションが上がる。この高いモチベーションの下で、他の上手くいっていない仕事にも対処でき、結果的に状況は好転し、全てが上手くいく。前向き思考で事に当たるべし。"このような考え方から、前に述べたように創業した時点（1999年）で、併せてもう1つの活動をとの思いで、大宮木鶏クラブ（40歳過ぎから愛読していた月刊誌『致知』の読者の会）を興した。その縁で、埼玉新聞の記者と知り合い

になり、県の記者クラブでインタビューを受け、埼玉新聞の"さいたま新都心特集号"の１ページ目を割いて、新都心誕生のイメージ写真と同時期に会社を設立した私の思いが紹介された。大宮木鶏クラブの詳細についてはここでは述べないが、私は会社経営と同じぐらいの思いで、月に一度の木鶏クラブの運営に当たった。

　大宮木鶏クラブ活動、岩槻工業団地事業協同組合活動、AOTS活動、埼玉県主催の各種活動、県内の高校・大学での非常勤講師活動等いろいろなボランティア活動を積極的に行なったが、いずれも"利"を求めるものではなかった。このような精神状態で会社経営に当たったことが、良かったのではないかと思う。このような活動を含め、先に述べた経営革新を実践する状況を含め、彩の国工場指定を申請した。

　"彩の国工場"とは地域に開かれ、愛される工場づくりを進めるために、県内の技術面や環境面で優れている工場を埼玉県知事が指定する工場である。当時県内約18万社の中小企業でそれまで指定された会社は

彩の国工場指定における記念撮影

約20年間で約300社であった。2013年11月７日に埼玉県知事公館におい
て指定式が行われ、指定書とプレートを授与されるという栄誉に浴した
が、私には経営革新モデル企業の付録のようなものに思えた（**写真**）。

（４）渋沢栄一ビジネス大賞受賞（論語とそろばん、義と利）

　私は40歳前後より、先に述べた月刊誌『致知』と大宮木鶏クラブ活
動において、中国古典に見られる "ものの考え方" を信じ且つ実行する
ように努めていた。とくに才能があるという訳ではないので、好きな
"事上磨練"・"大義" という言葉を日常の活動の中で強く意識して、少
しでもレベルアップしたいと思っていた。論語は毎日少しでも読むよう
に努めていたし、江戸時代の儒学者佐藤一斎、塙保己一、吉田松陰、渋
沢栄一等々の偉人のそれぞれの生き方には心酔し、また昭和の "人材育
成の神様" とも言われた安岡正篤先生は尊敬してきた。中でも、"企業
王" 渋沢栄一の "論語とそろばん（人育てだけではなく、同時に事業も
発展させること）" という考え方は経営者として大いに納得するもので
あった。"義は利の元。利は義の和" である。大義が無ければ事業もう
まくいかないものである。

　前述の経営革新計画の実践は、スマートウェルディング™ を中心と
した技術開発、インターンシップ・学卒の定期採用・溶接講座等を中心
とする人材開発、直接取引に基づく新規顧客開発の実践そのものであっ
た。私はこれらの全てにおいて旗振りをしながら、実務に加わった。中
でも、会社における人材育成に関しては、論語の "難きを先にして、獲
る事を後にす" という言葉通り、最優先した。中小企業での人材育成は
"マンツーマン" であると強く信じていたので、社員に対して一対一で
指導することも多々あった。

　そんなある時、埼玉りそな銀行の支店長から渋沢栄一賞なるものが
あることを知らされ、個人的にもこの様な賞を受賞したいと思っていた

ので、早速いろいろ必要な資料を揃え、埼玉りそな銀行の推薦状も添えて、県に申請した。しかし、結果的には落選した。非常に残念な思いであった。しかし、翌年再度チャレンジし、見事"渋沢栄一ビジネス大賞"を頂くことができた（2015年）**(写真)**。"論語とそろばん"という意味より、一番うれしい賞であり、私にとっては人生の誇りであった。しかし内心、出来れば渋沢栄一賞が欲しいと思ったのも事実である。埼玉県の中小企業の中で、経営革新モデル企業、彩の国工場指定、渋沢栄一ビジネス大賞の三つを受賞している企業はその時点で我社を含め２社しかない事も知らされた。小野崎さんが一番喜んでくれたように思う。今思うと、苦楽を共にした小野崎さんにも式典に同席してもらうべきであったと反省している。

渋沢栄一ビジネス大賞表彰式

4.5 新工場実現、国旗掲揚ポスト・社長継承および 企業理念碑の建立（2012〜2017年）

　創業時より常に自社工場での事業展開を考えていた。創業時点は100平米（30坪）の貸工場、1年後は約175坪の貸工場であったが、作業を安全に進めるには余りにも狭くなり、他の貸工場も併用したが抜本策にならず、自社工場を真剣に考えるようになった。

（1）ダイワハウス工業㈱との出会い

　新工場を建設するには、当然その用地が必要である。適当な用地をと考えていると、念ずれば何とかで、我社が用地買収を考えていることをどこかで聞かれ、ダイワ建機㈱の内藤社長と大和ハウス工業㈱の合地課長がいつも来られるようになった。このコンビの来社はいつも、"近くに来る用があって、チョットお寄りしたいのですが、どうですか？"との口上でいつも来られた。大した話をした訳ではないが、不思議と忙しい時でも突然の訪問を受け容れられた。不動産売買とはこんなことで決まるような気がした。

（2）新工場用土地の買収

　最初は自社工場用地買収ということがぴんと来なかった。紹介されたものはスペースも大小いろいろ、場所（工業団地内、住宅地、空き地等々）もいろいろであった。しかし、不思議なもので両氏と話をしているうちに、だんだんと新工場に相応しい物件に出会うようになった。数件目に久喜菖蒲工業団地内の物件に出くわした。S社の事業縮小により売地となっていた物件であった（写真）。汚い工場が残されたままの合計3000坪の土

S社の正門

更地になった用地

地であった。なかなか新工場と結びつかない外観であったが、その半分程度なら我社でも買える程度の金額であったことから現実味を帯びてくるようになり、数年後に完成する予定の圏央道にも近く、埼玉県で一番大きな工業団地という環境にも恵まれていたので、直ぐにその気になった。"不動産は追いかけてはいけない"と小野崎さんからも言われていたが、追いかけてもいい物件であった。小野崎さんおよびスタッフの同意を得て、具体的な金額交渉の末、買収が事実上決定し、埼玉りそな銀行の支援も得て融資実行が決まった（2011年）。なお、土壌調査の結果、数か所で有害元素が検出されたことから、土壌入替え費用とS社の工場解体費を差し引いた金額で購入し、購入後に土壌入替え工事を完了した（写真）。また、会社の売上げからして融資額が多く、1000坪は会社が、残りの500坪は私個人が購入することになった。わずかな、わずかな私個人の資産の全ては担保物件となったが、当然の事であった。

（3）新工場建設と落成

　土地購入から工場建設の決定までは約1年掛かったが、土地の購入でお世話になった大和ハウス工業㈱に工場建設もお願いすることにした。建ぺい率の制限により30m x 60mの工場しか建てられないという実態から、第一次工事は工場建屋で、その後は総合事務所を建設する予定とした。工場のイメージを伝え、設計作業に掛かり、その後は見積り作業に入った。工場建設費用と土地の支払いを考えると、当時の売上高を超える融資となり、メインバンクである埼玉りそな銀行の融資条件を超えるために、りそな銀行の本店の決済が必要となってしまった。私の事業意欲と我社の社会的使命を熱弁で伝え、やっとの思いで本社稟議が下りた

との報告を受けた。やっと新工場が実現するという思いであった。

建設段階でも内藤社長と合地課長にはいろいろお世話になった。前述の土壌入替えの問題も乗り越え、地鎮祭を終え、パイルドライバーの音が鳴り響き、柱が一本一本建てられ、建物が出来上がっていく過程は嬉々とする思いであった（写真）。

我社のような溶接作業によるメンテナンスを生業とする会社はどうしても暗く、汚く、騒音でうるさいイメージが付きまとうために、メタリックシルバーの社屋、溶接によるヒュームが無く

杭打ちの進む工場

地鎮祭

（Fume-less）、埃の少ない（Dirt-less）工場を謳い文句として、工場の仕様を決定した。メタリックシルバーの社屋は小野崎さんの感性によるものであった。その内にボイラパネル事業が主流になると予測していたので、クレーンのフック下寸法には配慮した。完成した時のスマートな社屋、自動溶接装置が並んだ工場レイアウト、LED による明るい工場が技術面・環境面ですばらしい彩の国工場に相応しいと思えた。なお、天井走行クレーン（5 ton および 10 ton、4 機）は全て、社会人の駆出しの頃よりお世話になった大真物産㈱勝地社長への感謝の意味を込めて、日本ホイストにお願いした。この大真物産㈱が技術面でしっかりした日本ホイストの総代理店であったからである。

工場周辺の植栽にも随分気を配った。小さい頃から我が家の植栽管理を手伝ってきたことから、植栽が建物を惹きたてるということも体験していた。45歳の頃から付合いのあった山岸造園㈱の山岸会長に、正門の植栽探しのお付合いをお願いし、川越で出会った黒松とモチノキ（黒モチ）を植えることにした。正門に植えたこの男松は山岸会長からの私への『落成祝い』である（写真）。

工場の周辺にはドウダンツツジを植えることにした。私と小野崎さんの願いであった。ドウダン

裏門のネズミモチ

ドウダンツツジ

移植前のモチノキ

移植前の黒松

ツツジの棚ができる20年後には、その紅葉した植栽が工場建屋を惹きたててくれる筈である。金木犀は大和ハウス工業の案である。裏門のネズミモチは購入前から植えられていたものをフェンスに沿って植え替えた。お陰様で素晴らしい植栽が出来上がったと今も思っている（写真）。

このような過程で出来上がった新工場は私達の念願の工場であった。手造りの落成式を迎えた時には、私は人生でもう二度と無い落成式であると思った。創立以来苦労を共にした無口な小野部長が発した感激の

正門に陣取る黒松

工事の進む工場

鉄骨がほぼ取付られた工場

完成した工場内部

完成した工場

言葉は忘れない。落成式の和太鼓が工場内に鳴り響いたあの瞬間は今も
しっかりと覚えている。実に創業より約13年経った2012年5月であった。
長くて短いこの13年であったが、"よくぞやった"と言える快挙である
（写真）。

完成した工場外観

新工場落成記念写真

（4）日昇旗掲揚ポストの建設

私は WA グループの子会社と言われることが実に嫌だった。我社は技術開発、人材育成、顧客開発、情報収集、資金手立てを含む会社経営の全てを自分たちで展開しているという自負であった。『Identity は 日 本 に あ り』といつも思っていた。

ポスト建設記念写真

私は30歳前から海外に出るようになってから日本の国を意識するようになったが、WA Japan を背負うようになってから、とくにその意識が強くなった。そんな気持ちが日昇旗のたなびくポストの建設につながったのである（2016年）。日章旗建立は新工場落成の時と同じ程嬉しく思った。日の丸の旗が日本晴れの空に気持ちよさそうにたなびいている。WA Japan の矜持である（**写真**）。

（5）社長継承

WA Japan がこのような短期間の間に特異な会社に成長できたのは、創業後数年間の WA Malaysia からの支援があったことが大きな理由の一つに挙げられる。Mr. Loh Ahsiang は WA Malaysia の父と言える人であり、溶接材料の買掛金約8000万円、一時借受金約2000万円、計約１億円の長期間の貸付（金利ゼロ）を容認するという暖かい支援無しには事業は継続できなかった。事業の拡張とともに、この貸付を徐々に返済し、新工場建設前には見事に返済を完了することができた。

この Mr. Loh が2011年に WA Malaysia を去ることになり、その後の

私とWAグループの関係は大きく変わり、信頼関係は薄れ、ギクシャクしたものに変わっていった。このような状況下で、私の株式保有率がMinorityであることを痛感する日々が続いた。WAグループの株式を100%保有するStekly Familyとの株式保有率闘争が2015年春より続き、いろいろな条件のもとに交渉を続けた。その詳細は添付別紙（WA Japanの在り方）に示すが、私の主張の概要は以下のとおりである。なお、本主張が採択されない場合には、社長は長年の労に対する慰労金を受け、駐車場用地を売却し、あらゆる連帯保証の任から解かれて退陣すると表明した。

①今後もWA Japanはビジョン実現のために、現状の体制下（青田社長の指導力の下）で成長路線を歩む。
②その為には、2.5％のロイアリティと純利益の60％送金は余りにも大きな障害で、今後の成長は不可能である。そこで、持株制を前提に増資し、あるいはWA所有の株式を買戻し、WA Japan側でMajorityを確保する。しかしながら、WAグループにとどまる。
③今後も開発型中核企業を目指し耐摩耗・耐食肉盛溶接事業に特化したビジネス展開を徹底する。ここで得られた技術・情報をWAグループに無償で移転し続ける。

その結果、Stekly Family Meetingでの結論は、数多くあるWA Group会社の中で、WA Japanを特例扱いにして私の主張を承認することはできないというものであった。長い長い議論の効無く、私の創業時の妥協が"人生の最も大きな誤り"であったことを悔いる結果となった。当然であるが、伸びる中小企業の社長は筆頭株主でなければならない事を私は痛感した。このような経緯より、2016年末を以て私はWA Japanを去ることを決意し、福本社長を後任とする新生WA Japanの新たな

体制を提案し、社長職を退いた。この１年ほど長く感じた年は無かった。

　日本創造経営㈱より継承式を行う提案を受け、2017年初めに社長継承式を行った（**写真**）。写真に示す様に、日本晴れの神式の継承式ではあったが、私の心の中は日本晴れではなかった。実質的に会社経営を共にした小野崎さんにはこの経緯を説明することなく、私の独断で決意したことを今も悔いている。私の心の中は、その後のインドネシアでのチャレンジ（貧富の差の大きいインドネシアで特異な会社を実現するというチャレンジ）にこの悔いを晴らす思いであった。

社長継承式

（6）企業理念碑の建立

　企業理念の大切さについては、既に述べた。この企業理念をいつまでも大切にしていけばビジネスは安泰である。創業以来大切にしてきた企業理念の碑を会長職であった2018年に建立し、理念の大切さを社員全

員で確認した（**写真**）。その企業理念は3-⑴に述べたように、以下の通りである。これらの企業理念をビジネスの中で、徹底すれば必ず、社員は成長するし、会社は発展する。これは私の経営哲学であり、WA Japanへの贈り物である。

①社内にあっては報告・連絡・相談（報連相）を徹底し、社外では情報の共有化に努め、顧客満足度を得る。
②物事を多面的に且つ長期的に捉え、真髄を掴む。
③明るく、前向き思考で、即行する。

正門の黒松と企業理念碑

企業理念の碑

企業理念碑を囲んで記念撮影

4.6 学協会活動（2006〜2019年）

（1）日本溶接協会の委員会活動

私は川崎重工時代の駆出しの時期から清水先生（当時は清水課長）の指導で、学協会活動に参加させて頂いた。とくに溶接協会の委員会（当時の原子力研究委員会）では、競合を含めていろいろな製造業の会社の方々と接する機会に恵まれ、技術だけではなく"ものの見方・考え方"、目上の人との接し方等についても貴重な事を学んだ。このような活動のお陰で、川崎重工を退職するまでの約16年間に亘って、IIW 年次大会に２回および国際会議に３回参加させて頂いた。また約30件もの論文をまとめ、技術誌に投稿できた。川崎重工の事業部所属の社員としては、ある意味で実に恵まれた待遇であったと言える。このような貴重な経験から、WA Japan においても常々委員会活動ができるような会社に成長したいと念願していた。

会社経営に少し余裕ができた状況を機会に溶接協会に入会した（創業７年目の2006年）。おそらく当時入会している法人の中では最も社歴の浅い会社であったと思う。その溶接協会の中で、我社が最も深く関係する特殊材料溶接研究委員会（以下特材と呼ぶ）の活動に参加することにした。その時点では既に我社の技術顧問であった清水先生もこの入会・活動には大賛成であった。この特材は溶接協会の中でも最も歴史が長く、極めて活発な活動を展開していた委員会で、我社の若い技術者がその場に身を置き、時には発表するということを通じて、多くのものを学ぶ場であると考えた。また、西本委員長は私が尊敬する先生で、その理路整然としたものの考え方は損得で判断しがちな中小企業にとって鑑にもなるとも考えていた。

溶接協会に入会した最初の委員会で、我社を紹介させて頂いた時のことを今も思い出す。駆出しの企業ではあるが、事業活動に徹しつつ技術開発に力を入れている姿を力説した。委員会活動では、我社の競合

会社もいる中で、技術に向けた真摯な姿勢を常に忘れず発言した積りであり、幹事会社でもないのに幹事会社の如く丁重にお付合いして頂いた。また、盛大に行われた2014年特材50周年記念式典では、懇親会の挨拶を"WA Japan の青田さんに"とのご指名を事前に頂いた時には、活動歴がそれほど長くない我社ではあるが、評価を頂いていることを意識できた。年4回開催の委員会が楽しく、その後の懇親会では皆が同胞の如く親しく思えた。とくに年齢も近く、趣味・考え方が似ていた川嶋副委員長にはお世話になった。

　毎年特材が各地で開催するシンポジウムが好評であったことから、"異材溶接ガイドブック"の編集が委員会で決まり、各章の執筆担当が決まっていく中で、硬化肉盛溶接に関しては自然に我社が執筆することになった。大感激であった。そして、2019年に"異材溶接シンポジウム"が成功裏に溶接会館で開催された。好評のガイドブックの書籍化活動が現在進んでいる。私は2018年を機に委員を清水君に託した。

（2）紙パルプ技術協会への展示会出展と技術発表

　当時すでに代理店であった鉄原実業㈱より紙パルプ技術協会開催の展示会参加の強い勧めを受けて2009年仙台での展示会に共同で出展した。この紙パルプ技術協会の展示会は出展社が少なく、その割には数多くの製紙業界の技術者（実務者）が来場し、毎年懇親会には約1000人が参加するという派手さであった。この仙台での展示会がきっかけで、我社は毎年出展と技術発表を続け、若い技術者の社外での技術発表の場にもなっている。前述した通り実務者が多く来場する結果、商談の場になり易い。我社が比較的容易に製紙業界に参入できたのはこの展示会への出展・技術発表・商談によるところが大である。

（3）今後の学協会活動

　その後入会した溶接協会／化学機械溶接研究委員会と併せて、学協会活動と論文投稿は必ず我社の社風形成と人材育成（技術者の育成）に寄与するものと思っている。今後も事業の好・不調に関係無く、続けていかなければならない。

4.7　新事業を模索する時期（2017〜2019年）

　前述の通り、2017年に社長を福本社長に継承し、私は会長職に退いた。以下に新事業を模索する上で大切な事を述べる。

（1）ネットワーク構築に向けた取組みおよび業態変革

　新工場はできても、それにふさわしいビジネス展開が欠かせない。一層 Innovative な経営が求められてくる。新卒の定期採用を含む人材育成、技術開発および顧客開拓をさらに推し進めることが肝要である。溶接技術だけでは年間売上げ15億（創業30年までの目標）はなかなか難しい。このような目標を達成するためには、溶接技術以外に、関連する要素技術を取込んだ自社製品の確立およびそれらの要素技術に関連する協力会社とのネットワークの構築が必要である。協力会社とのネットワークに関しては、Win-Win の関係を共に持ちえないといけない。利害関係がある場合には信頼できるネットワークの構築はできない。

　学卒の定期採用の継続は会社を活性化させる大きな材料となる。この継続に大きな力を注ぐことは経営トップの責任である。何故ならば、一般的な指標からすれば我社の偏差値はそれほど高くなく、企業の評価を適正にできない学生に関心を持たせるには、我社程度の規模の会社では求人戦線の中で経営トップのインパクトある言動と人材発掘に奔走する姿勢が必要である。私はそのように考えて人材採用の最先端で行動してきたし、人材育成に努めた。経営トップには常にそのような姿勢が望

まれる。

　技術開発は仕事の繁閑に関係なく継続する必要がある（清水先生の口癖でもあった）。顧客のニーズを常に探索し、この Needs-oriented の技術開発が必要で、今後必要となる要素技術を念頭に置き、若い人材を登用し、技術開発に努めることが実に大切である。中小企業の技術開発には逞しい意識、燃える情熱、安易を振り捨てる冒険心が必要である。また、そのような模範社員には高い評価を与えるべきである（高すぎてもいい）。経営トップにはそのような人材が生まれる土壌を作る姿勢が必要である。伸びる中小企業の経営者（内容の充実した中小企業を目指す経営者）は、目の前の現象に耳目を奪われることなく、"不易流行"を率先垂範するものである。

　顧客開発もまた大切である。顧客の立場に立っていろいろ提案をする中で、顧客が我社の姿勢を理解する結果、信頼関係が生まれる。この信頼関係から腹を割った話ができるようになる。真のニーズはこのような状態から得られるものであり、そのような営業マンが本当に営業のできる人である。このような営業マンは会社にとって頼もしく、会社活性化の核になってくれる。経営トップはそのような営業マンを育てる努力をしなければならない。売上げのみを求める営業マンは顧客との間に信頼関係を構築できるものではない

　自社製品の確立は以上のような状況がそろった場合に生まれるものである。メンテナンスビジネスにはどうしても仕事の繁閑が生まれる。この自社製品の計画的生産が仕事の繁閑を最小限にしてくれる。自社製品の確立・展開には主体的経営が必要で、また外部とのネットワークを構築する結果、業態が大きく変わる。その過程で次世代の後継者が育つ。

（2）代理店の効率的活用に向けた取組み

　顧客ニーズの探索は営業の大きな責任である。自社製品の展開が進んでくると、営業範囲は広くなり、営業活動の中身は密にならなければならない。自社の営業活動だけでは困難に遭遇する。その為には代理店の効率的活用が必要となってくる。全国的なネットワークが求められる。このような代理店網を構築する必要が出てくる。経営トップにもより一層リーダーシップが求められる。また、代理店とは一心同体でなければならない。経営トップ同士の価値観の共有が必要である。そのような意識で代理店との会議を定期的に持ち、我社の経営姿勢を説明する場を設け、先頭に立って進めてきたが、今後も一層必要となろう。

（3）今後の WA Japan の在り方

　以上述べたような Innovative な事業および業態こそ、創業30年に向けた我社の在り方である。今まで培ってきた基盤に加え、今後のこのような活動により、業界で特異な開発型中核企業が見えてくる筈である。そうすれば創業30年は歴史を造ることになる。そこには、我社独特の社風がある。創業者として陰ながらそのような業態が実現することを楽しみにしていたい。

4．8　トラブル対応の大切さ

　企業にとって、トラブルはどうしても回避したくなる負の遺産であると考える。しかしこのトラブル無しには事業展開は無いとも言える。我社のような小規模な企業でも、この20年間で致命的とも言えるトラブルを起こした。負の遺産となるこのトラブル対応が実は企業成長の決め手となる。

（1）最初のトラブル

　Tセメント／C工場から受注した受けローラの再生（2000年）では
N熱処理の工場を借りて私・小野君・長南さん（電気技師）およびアル
バイトの四人で2シフト体制により実施した。再生工事の初期の段階で
予想外の状況に陥り、小野君は4日間徹夜（96時間睡眠無し）であった。
私は3日間であったが、朦朧とした状態になった。その後、約1週間で
熱処理・機械加工を終え、やっとの思いで納品したが、使用後すぐに肉
盛溶接部に剥離が始まった。状況確認後のC工場からの帰りの車中で、
"これで終わりか"と思ったが、担当課長の計らいで切り抜けることが
できた。この原因はおそらく2回目のトラブルと同じで、溶接金属の延
性によるものであったと思う。創業間もないこの時は、さすがにトラブ
ル対応する余裕が全く無かった。

（2）2回目のトラブル

　2回目のトラブルが又してもTセメント／T工場のキルン受けロー
ラの再生工事で、5000万円を超す大きな受注であった。納入した受けロ
ーラに使用開始直後から割れが発生し、剥離が起き始めた。福本部長（当
時）が状況確認に現地に詰めたが、人質のような状況を経験させてしま
った。私は割れ開始から1週間はその対応に奔走したが、最後は使用を
中断して欲しいと願い出た。Tセメントの主力工場の最も大きなキルン
であり、1日の生産保証が3000万円とのことから、使用可能な受けロー
ラを探して頂けるようにお願いし、最終的にF工場にあった受けローラ
が使われることになった。この1週間は私も福本部長も生きた心地がし
なかった。その後、必死になって原因究明のために各種試験を行い、有
限要素法による接触問題の解明にも努めた（合計約250万円要）。最終的
には、我社の非となるような結果にはならず、真の原因は判然としなか
ったが、おそらく溶接金属の延性に因るものであったと思う。今までは

何の問題も無く再生できていたことから、我社に責任がある訳で、報告会の席上で恐る恐る申し出た約1000万円のペナルティが二つ返事で認められた時には、ホッとする思いと、これからの返済が大変だという思いが交錯した。分割払いを申し出たところ、これも承認頂いた。トラブルの原因究明はこちらから申し出た事であり、その姿勢を評価して頂いたものと思うが、その年の売上げは逆に前年度を超えるほど大幅に伸びた。我社の起こした主力工場でのトラブルはTセメント全社に伝わった筈であるが、不思議なものである。

（3）3回目のトラブル

3回目のトラブルはTパルプ向けの Reclaimer screw conveyor 再生工事であった。再生したスクリューコンベアーがぶっ壊れたのである。幸いにも、十分に長い期間使用された段階でのトラブルであった。このトラブルは、調査の結果、ブレード付け根からの疲労破壊に因るものであった。同じトラブルをO製紙でも経験した。ここでも稼働期間は十分長く大きな問題とならなかったが、これらのトラブルから Reclaimer screw conveyor の新作あるいは補修におけるマニュアルを作成することができた。

（4）トラブルから学ぶもの

これらの三種類のトラブルから、会社経営がどのような状態であっても、トラブルから決して目を背けず、トラブルと向き合ってその原因究明に力を注ぐ姿勢が大事であることを学んだ。また、トラブル対応の姿勢を通じて顧客の信用を得ることができるということをビジネスの中で学ばせてもらった。

4.9 創立20周年記念式典（2019年）

　2019年10月18日の創立記念日に、大宮のパレスホテルで、お世話になった顧客・代理店・仕入先・取引先銀行・技術顧問等の皆さんをお招きし、盛大に創立20周年を皆で祝うことができた（**写真**）。お越し頂いた顧客は全て私が先頭に立って創り出した顧客であった。久し振りに会う顧客から、当時の状況が走馬灯の如く思い出された。創業者の挨拶は10分程度と考えていたが、いろんな記憶が思い出され、終わった時には23分の挨拶になってしまった。大部分の社員も知らない事が多いために、この場をお借りしてお話しした積りである。

　主賓の元溶接学会会長・阪大名誉教授の西本先生からも有難いお言葉を頂戴した。松村元監査役にお願いして唄って頂いた"イヨマンテの夜"はこの創立記念式典にはふさわしく、格調高いもので、私の心に響くものであった。おそらく参列者全員に緊張感が伝わったものと思う。この記念式典を機に、歴史を造る『創立30周年』に向かって、新生 WA Japan が開発型中核企業を目指してスタートした。

創立記念式典での合同記念写真（2019年10月18日）

5．インドネシアでの人材育成と新会社設立 （2017〜2020年）

5．1　帰還後の生活実態の確認

2004年にインドネシア実習生を受入れ始め、我社では実習生達を社員と同じ待遇の下で事業活動に参加させた。この制度では、彼等は３年後のある程度技能を習得出来た頃に帰還せねばならず、会社としては折角育てた技能者を失うことになる。この期間延長については JIEAC とも折衝したが、特別な理由が無い限り不可能であることから期間延長を断念し、2012年に実習生の採用を一時打ち切った。なお、期間後の彼等の就職先についても彼らの意向も考慮し、二人については私のネットワークで適職を斡旋した。

2010年に小野崎さんが帰還後の彼等の生活実態をつぶさに見届けたいとの主旨で、インドネシアに渡り、彼等の家族にも会い、その報告を受けた。彼等のインドネシアでの仕事は私が願っている状況とは異なり、殆どの人が日本で習得した技能を生かせていなかった。また、日本で貯めた現金（かなりの大金）が彼等の生活に有効に使えていなかったように感じた。

翌々年の2012年に今度は私が彼等に会うためにインドネシアを訪問し、彼等の熱烈な歓迎を受けた。また、１年後の2013年には彼等の家族を訪問し、家族・親族が一堂に会する歓迎会を企画した。全ての家族の居間には元実習生達の日本での写真が飾られ、彼等にとって、また彼等の家族にとって日本での３年間が宝物の如く扱われている様子を見た。有難いことだと思うとともに、私が彼等にしてやれることは何かを考えるきっかけとなった。この機会に、インドネシア溶接学会と産報出版（日本の出版社）の共催による展示会・技術講演会（Japan Welding Fest in Indonesia）が開催され、私も参加した（私は Maintenance Technology for Infra-structure in Japan を立食パーティの場で説明

した）。この５分程度のスピーチの中で、インドネシアの参加者の食い入るような視線を感じ、我社の技術が歓迎されていると思った。2014年に私は Cikaran Grand Hotel に元実習生を集め、JICA に提出している事業案件化プロジェクトの話をし、元実習生達のこの事業への参画意思を確認した（2013年および2014年の詳細は添付資料に示す通りである）。残念ながら、2015年に JICA に提出した事業案件化プロジェクトでは、一次審査に合格したものの、二次審査の結果採用されなかった。"あれだけ必死の思いで作成したのに"という思いが強く残った。しかし、心の中では案件化プロジェクトの内容を青田個人として自力で実行することを決めていた。

5.2　インドネシアでの新会社設立

　2017年より Welding Alloys Japan の会社経営を福本社長による新体制に委ねることとした。この年より私の生活は大きく変わり、日本とインドネシアとの行き来が始まった。日本において築いた技術をベースにして、私の持てる力で工業化を目指すインドネシアでの起業を決断した。そして、この年の10月に Pt.WISH（Pt.Weltek Indonesia Sejahtera）を設立した。溶接技術によるインドネシアの繁栄を願うという実にいい社名であり、元実習生達が私の意を汲んで考えたものである。帰国した数人の元実習生の雇用機会になるだけではなく、インドネシアの35ＧＷプロジェクト（５年間で3500万キロワットもの発電所を建設するというとてつもないビックプロジェクト）を支援することにもなり、親日国インドネシアとの交流にもつながると考えた。ジャカルタから南に約50キロはなれたタンゲラン州ボゴールで貸工場を借り（**写真**）、数多くの技術講演、身近な営業活動、新卒採用を含めた人材育成などを精力的に行った。宗教、価値観、商慣習、ものの考え方等を異にするインドネシアであるが、"５年後に自社の新工場"というスローガンのもと、溶接技術

によるインドネシアの繁栄という社名に大義（志）を示し、今後の発展を期した。

わずか500平米の小さな貸工場ではあるが、日本での創業時の貸工場がわずか100平米であったことを思うと広く感じた。また、右の写真は2018年7月にジャカルタ国際展示場で開催された発電業界の国際展示会での様子を示している（**写真**）。私は出展社を代表して、Opening Ceremony でスピーチをさせて頂いた。

創業2年目に新卒を採用し、私を含め総勢12名による事業展開となった。この約2年間は国営発電所（PLN）を中心に、提案営業と自動施工による高品質を謳い文句に発電所のメンテナンス事業を企画・実行したが、継続的受注につながらず、また支払い条件の悪さも手伝い、資金不足を起こす月が増え、その都度私の個人口座から海外送金するという状況であった。この約3年間のインドネシアでのビジネスにおいて経験したことを産報出版の"Welding Promenade"

約500平米の貸工場

落成式での記念撮影（2017/10/2）

"PORTECH 2018"展示会開会式

"PORTECH 2018"展示会ブースでの記念撮影

に投稿し、掲載されたものを添付資料に示す。インドネシアのビジネスにおいて最も大きな障害は①"何事も曖昧"な状況で進むこと、②今も存在するKKN（汚職、腐敗、縁故主義）、③ビジネスにおける信頼関係が構築しにくいことであると思う。

5.3　その後のWISHの事業展開

　創立2年を迎える直前（2019年9月）に会社経営に多少の経験を有するMr. Davidを採用し、元実習生2人（Mr. ArifとMr. Akmal）と経理担当のNaniさんを含めた計4人のスタッフに対して、今の状況では事業の継続は難しくこの一年が正念場であること、提案営業と信頼に基づくビジネスを強烈に意識して事業展開すれば可能性があることを伝えた。その結果、彼らが私から多くを学びつつ一緒に事業を展開することによりこの難局を切り抜け、日本的な会社に成長したいと強く考えていることを確認し、私は彼等を信じてこの一年に賭けることとした。

　翌月の創立記念日に創立2周年を全員で祝い（**写真**）、皆で"5年以内に新工場を"というスローガン（**写真**）を誓い合った。

　創立2周年の10月から、以下のような現状分析と併せてMr. Davidには会社経営における大切な事を、Mr. Akmalには技術的に重要なポイントをマンツーマンで指導した。インドネシア事業がどのような結果になろうと後悔の残らない様にとこれらの事を徹底した。とくに、Mr. Davidには、私が経営トップとしてWA Japanで意識して務めた以下の事を仕事の中で何度も何度も、口移しするように伝えた。

①WISHの経営トップには技術を知る姿勢が大切である。

②キツイ時ほど、明るく前向きに即行を強く意識して行動する。

③いつも身だしなみに気を配り、清潔感を忘れない。

④部下には、労をねぎらう言葉を常に掛ける。

⑤顧客の責任ある立場の人との会話を多く持ち、情報を仕入れる。

⑥会社の成長はマーケティングと営業活動によって決まる。

⑦WISH の強みは提案する姿勢にあると強く意識する。

工場での創立 2 周年記念パーティー

500平米の工場内に掲げられた新工場スローガン

（1）現状分析と WISH の SWOT 分析に基づく新方針

　前にも述べた通り、WISH のこの約 2 年間は国営発電所（PLN）を中心に、提案営業と自動施工による高品質を謳い文句に発電所のメンテナンス事業を企画・実行し、結果および状況は前に述べた通りである。しかし、カギとなるこの 1 年及びその後の為に、この間の事業不振の原因を見極める必要があると考えて、皆で現状を細かく分析した。また、WISH の SWOT 分析結果を踏まえた方針を検討した。その要点は以下のとおりである。

①顧客は国営の発電所（PLN）であり、この PLN は赤字経営であるにも拘らず、改革意識が薄い。また、インドネシアではトラブル（事故の原因は主にボイラチューブの破孔による）が多く、その補修に時間を要するために、計画的メンテナンスがしばしば変更される。その都度 WISH の補修予定が変更され、事業経営に支障をきたす。⇒黒字で高稼働率を追求する民間発電所へのアプローチも大切である。発電規模は問わない。

②発電事業は大切なインフラであり、この国営の PLN には数多くの Vendor が集中し、過当競争となる。過当競争による低価格受注の結果、メンテナンス会社が成長しない。KKN（汚職、腐敗、縁故主義）も依然としてなくならず、ましてや提案営業などは無意味なのである。しかし、この状況は、発電所長の考え方にも依存する。⇒WISH は現時点では小規模会社であり、生産能力も限られる。提案を歓迎する中小規模の発電所へのアプローチが得策である。

③WISH の事業は現時点では発電設備が対象である。しかしながら、インドネシアには他に大切なあるいは今後重要になる分野がある。たとえば、CFB ボイラ等による発電業界、石油化学業界、製紙業界、Mining 業界、椰子油（Palm Oil）業界等々がある。⇒このような中でも、

Vendor が集中せず WISH の要素技術に疎い業界（例えば、CFB、石油化学、製紙、椰子油等）および利益を求める民間企業（日系企業含む）に対して、寿命延長などの提案を引っ提げて事業展開する。

④インドネシアは東西5000km もある大きな国であり、移動手段が工業化の大きな障害である。その結果、ジャワ島以外の島では情報入手の機会も少なくなる。⇒ネットの活用により、新しい情報、新しい技術を求める業界・顧客を見出し、WISH の提案営業を展開する。

⑤インドネシアは Top-down の国である。日々の営業では通常担当レベルとの話になる結果、新情報・新しい技術がトップに伝わりにくい。⇒Bottom-up による提案活動の多い日系企業・欧米企業へのアプローチも大切である。

（2）その後の事業展開

上で述べたような新方針の下、以下のような基本方針を作成し、具体的なマーケティング活動を開始した。

①国営で西ジャワの発電所の中で、中規模の Labuan 発電所（2 x300 MW）には新技術により発電所の稼働率を高めたいとする技術志向のマネージャが多い。したがって、数多い国営発電所の中で、Labuan 発電所に集中した独自の営業活動を展開する。

②電力ニーズの高い西ジャワで、中規模の民間発電所である Lestari Banten Enegri（LBE）に集中した展開をする。

③問題を多く抱える CFB ボイラによる中小規模の発電所を対象とする。例えば、Tarahan 発電所（2 x100MW）である。

④発電所以外の分野として、製紙業界、石油化学、椰子油業界をまず取り上げる。製紙業界では日系企業で中規模の Tanjun Enim Lestari Pulp＆Paper（TELPP）および大企業の OKI Pulp＆Paper を、椰子

油業界では小規模の Bumi sawindo を取上げる。

⑤その他、提案を求める新顧客を見出し、固定客とする。毎年３〜５社の新顧客を見いだせると企業は安泰である。

⑥いずれの営業活動においても、責任者と顔を合わせて挨拶をし、意識して情報交換に努める。

　このような新しい営業方針のもとに訪社計画を立て、約１年間活動してきた。必ずしもすべての活動が功を奏したとは言えないが、少なくとも電力一辺倒の営業活動よりも変化があり、反応が感じられたと言える。このような展開により、顧客情報が少しずつ多く得られるようになり、営業・受注状況が好転する気配が感じられるようになった。工場施工の仕事、現地施工ジョブ等がバランスよく取り込める結果、コロナ禍にも拘らず忙しくなり、それ以前とは違った雰囲気が社内に漂うようになった。キャッシュフローも以前より改善され、私からの援助資金への返済計画が Business Plan の中に織り込まれるようになり、2020年６月から返済が始まった。予定では2021年中に、出資金は別として、青田個人からの貸付金の約半分は返済が完了する見通しとなった。有難いことであった。私がコロナ禍でインドネシアにいなくても、スタッフの間で新工場計画が話題に出始めるようになったらしい。私はこのコロナ禍により、2020年２月から半年インドネシアを離れたが、その間毎日 Whatsapp とビデオ会議で以下の様に話ができ、週末でも多忙を極める毎日であった。

①スタッフは日常の仕事の中での疑問点や問題点を私に報告する。私はそれらに対して、Whatsapp およびビデオ会議で意見を述べ、結論を伝える。

②状況が変わりそうになれば、スタッフは Business Plan を変更し、

キャッシュフローをお互いに確認し合う。

③スタッフは仕事の推移を Job Schedule で私に伝える。変更が必要な場合には、作成した改定版を私に報告し、了解を得る。

④特に明日のビジネスに影響する重要な事項については、彼等の意見を先に確認し、結論を出す。

⑤私は実際のビジネスに参加することができないので、状況を見ながら私自身の作業予定を伝える。技術資料、標準資料、特定事項に対する調査資料の作成が主な業務であり、スタッフはこれらの資料をビジネスの中で有効活用する。

このような新方針による事業展開を転換点として、WISH が徐々に順風満帆の経営軌道に乗り、親日国インドネシアで提案と信頼を売り物にできる特異な会社に成長してくれることを願っている。

6．マイルストーン（里程標）

　WA Japan がこの短期間に、ある程度の開発型企業に成長してきた過程には以下のような節目があった。このような節目が我社の成長にとって欠かせないものであったと言える。なお、インドネシアの新会社（Pt.WISH）については、創業間もない会社であるためにここでは割愛する。

①1999年10月18日創業

　小野崎さん（私の家内）との二人三脚での創業であった。自宅から与野駅前の貸事務所への往復が始まった。家族を社内に入れることが中小企業の会社経営にとっても障害になると考え、本人の同意のもと、私の家内に対して全員が旧姓で呼ぶことにした。

②2000年から始まった３つのトラブル（トラブル対応の大切さ）

　３種類のトラブルから、会社経営がどのような状態であっても、トラブルから決して目を背けず、トラブルと向き合ってその原因究明に力を注ぐ姿勢が大事であることを学んだ。また、トラブル対応の姿勢から、顧客からは信用を得ることにもなる。

③2000年　いくつかの転換点となった顧客との関係

　たとえ小さな企業でも、プライドを忘れてはならない。我社は２・３人の創業当時より大企業と直接取引をしてきた。大企業と直接取引をすることにより企業として成長できる。それはまた私のプライドでもあった。電気化学工業、太平洋セメント熊谷・秩父・大船渡・津久見・大分工場、川崎重工、第一セメント（現太平洋セメント・川崎工場）、神戸製鋼、東北電力、相馬共同火力等々である。神戸

製鋼・高砂工場とのメンテナンス契約締結交渉、第一セメント塙本専務とのメンテナンス契約を前提とした議論、東北電力・原町火力発電所（八幡副長）との縁、太平洋セメント・大船渡工場長との議論等々、私の心に残る"あの時"が我社のビジネスの転換点であったことは間違いない。

④2000年10月1日岩槻工業団地内に貸事務所および貸工場を移す。

　僅か30坪の貸工場から、1年後に岩槻工業団地内の175坪の貸工場（宮本工業）に移転した。その時は実に広く感じ、実のところ家賃が払えるかどうか本当に心配であったが、しかし数年後には手狭になった。いつも自社の新工場建設を目指して、頑張った結果である。目標が明確であれば、何事も実現するということである。

⑤2002年　月刊誌『溶接技術』に初めての論文を投稿（巻末に関連資料を添付）

　投稿した技術論文が学協会関連誌に掲載されることはその業界の物つくり会社としては技術的に社会に認められたということを意味する。私は創業当初より早くそのような会社になりたいと念願してきた。技術顧問の清水先生が"青田君、俺がこの論文を纏めるから、投稿しなさい"と時間の無い私を見て、おっしゃった。私の気持ちを察しての言葉に私は感激した。2002年8月号の溶接技術に"オープンアーク溶接法による連続鋳造ロールの耐摩耗肉盛溶接"が掲載された経緯である。この時から、常に技術論文の投稿は、私には会社経営と同じくらいの位置づけであった。

　メンテナンス業はニッチな業界とは言え、お陰様で一味も二味も異なる特異な会社に成長することができた。私と清水先生の二人三脚から始まった"技術論文の投稿"は、私の強いこだわりと社員が私

の後を付いて来て呉れた結果である。成長企業を目指す会社として
も未来永劫続けなければならない。

⑥2002年　東京国際ウェルディングショーに出展開始（巻末に関連資料
を添付）

広報活動の観点より、当時世界の三大ウェルディングショーの一つ
と言われた東京国際ウェルディングショーに出展することを目指し
ていた我社は創業３年目の2002年に、１コマではあるが、出展した。
嬉しくて、いろんな方向から我社のブースを見届けたことを今も覚
えている。創業３年目で、地に足が付かない状態ではあったが、お
祭りに参加した思いがした。この年から、４年毎に開催される東京
国際ウェルディングショーには必ず出展した。第２回目からは２コ
マを借りれるようになった。2014年からは講演（トレンドセミナー）
の声も掛かり、発表の機会を得続けている。ただし、この展示会で
決まった商談は一切なかった。

⑦2004年　インドネシアからの研修生・実習生の受け入れ開始（巻末に
関連資料を添付）

2004年から毎年２名を受け入れ、多い時には６名のインドネシアの
若者が在籍した。彼らは原則３年間帰国できない。そんな状況を推
し量り、私は日本の父親、小野崎さんは日本の母親を意識して、彼
らに接した。私達夫婦と実習生・研修生の世界については社員も知
らないことが多々あったと思う。

⑧2004年　創立記念旅行を開始（巻末に関連資料を添付）

創立記念旅行を恒例行事として始められるかは、お祭りを大切にし
ていた私にとっては重要な事であった。東京ディズニーランド、記

念食事会を経て念願の１泊２日のバス旅行ができるようになった。ホテルもだんだん立派になり、小さな部屋での宴会が、その内に徐々に大きな部屋を借り切っての宴会になってきた。宴会場入口に我社の社員のスリッパが無数に並び、浴衣姿の社員が宴会場で私を待ってくれていた"その瞬間"は今も忘れられない。ボーナスを最初に支給できた時と同じくらいの喜びであった。社長冥利に尽きるものであった。

⑨2006年　日本溶接協会／特殊材料溶接研究委員会活動に参加

我社の事業が大いに関連する日本溶接協会／特殊材料溶接研究委員会に入会し、委員会活動を開始した。真摯な活動姿勢により、我社の存在感も確立された。競合他社も同席しての委員会活動は技術情報の入手、自社技術発表、他社とのお付合いなどにより若手技術者の育成にもつながるものである。その後に入会した日本溶接協会／化学機械溶接研究委員会と併せて今後も事業の好・不調に関係なく活動を継続して欲しい。

⑩2006年　インターンシップ開始および新卒の定期採用開始（2007年）

私は大阪大学３年生の時に、岡山県玉野市にある三井造船で企業実習を経験した。その経験は私にとって忘れ得ぬ思い出となった。４週間という長い期間で、先輩の有難さ、企業風土の大切さ、寮生活の楽しさ、他大学生との付き合いの大切さなど、大学では学べないことを経験することができた。そのような経験を、今の大学生にも経験させてやりたいという思いから、インターンシップを私自ら調べ、受け入れた。現在のインターンシップは期間が短いものの、我社では汗を流すだけのインターンシップではなく、自分で計画書を作成し、それを実行するという企業実習本来の形を求めた。社員も

理解してくれ、そのようなインターンシップが毎年の行事になった。大学も複数校とし、他大学を意識するようにした。このインターンシップのお陰で、大学の進路指導の先生とも縁ができ、企業説明会や産学共同の機会ができるようになった。我社の企業実習には成果報告会を設けて、社員が参加し、質疑応答を意識的にするようにした。心地よい緊張感であった。大学の先生を成果報告会に招いたこともあった。

⑪2007年　ISO9001品質保証認証および建設業許可（2008年）を独力で取得

ISO9001品質保証認証は念願の取得であった。マニュアル化は若い社員ができるだけ早期に育成されるために必要な手段と捉えていた。また、トラブルが生じた時に Traceability が欠かせず、その時に奏功する。しかし、第三者に委任すれば、費用がかさむ。そんな状況を推察して、藤井さんが名乗りを上げてくれた。藤井さんには社員と同じ意識で積極的に、主体的に、対応して頂いた。藤井さん無しでは短期に取得することはできなかった。

建設業許可は本来我社のようなメンテナンス会社には必要ないと考えていた。北海道電力・苫東吾妻火力発電所のミルの再生工事の際に、建設業許可の取得を義務付けられた。我社は取得していなかったために、直接取引を断念し、許可を取得している地場の第三者に代理店機能をお願いした。結果的に我社仕切りの2倍の見積価格となり、我社は失注した。こんなことを経験したために、建設業・機械器具設置業の取得を計画し、問題なく取得した。その後、電力会社からこの建設業許可取得を云々されることがあり、結果的に良かったと思った。

⑫2009年　紙パルプ技術協会展示会に出展開始（巻末に関連資料を添付）

代理店であった鉄原実業㈱の強い勧めで、紙パルプ技術協会の展示会に出展することにした。この展示会にも、展示会と技術発表の場があり、前から東京国際ウェルディングショー出展の経験もある我社は初期の段階から展示・技術発表の両方に参加した。国際ウェルディングショーとは異なり商談になることが多く、この展示会参加のお陰で、我社は比較的容易に製紙業界に参入することができた。鉄原実業に感謝である。

⑬2010年　『スマートウェルディング』および『TRI-S 工法』の商標登録

知的所有権（商標登録・特許登録）は我社のような社歴の浅い中小企業にとっても大切な経営戦略である。その為には顧客のニーズを徹底的に調べ、その為のシーズ開発に力を注ぐ過程で得られる成果を知的所有権として大切に温めることが大事である。

そのような発想より、スマートウェルディング™ の商標登録は時宜を得たものであり、我社の宝物であると自負している。併せて TRI-S 工法™ も同様である。これらの登録商標は単なるものの考え方ではなく、経営哲学と言えるものである。このような発想無しに、開発型中核企業は謳い文句に終わってしまう。

⑭2010年　『竪型ミルの再生方法』の特許申請・登録

特許申請・登録も然りである。有効特許を目指し、開発者が頭を抱えて工夫する姿勢が大事である。我社にとって『竪型ミルの再生方法』は最初の特許であり、自慢できる有効特許である。同業他社の追随を許さないものであり、スマートウェルディング™ を意識させるものでもある。

⑮2011年　NHK の特別番組『特報首都圏』で放映

　2011年11月19日（土）のゴールデンタイム（午後７：30〜8：00）の『特報首都圏』という番組で我社の求人活動、インターンシップ参加状況、社内での人材育成状況などが紹介された。この放映は我社にとって有難いものであったが、それによって求人状況に変化が出ることは無かった。

⑯2012年　『経営革新モデル企業』に埼玉県より指定（巻末に関連資料を添付）

　前にも述べた通り、この指定の報を受けた時の嬉しさは格別で、経営者としての自信を少し感じることができた。この経営革新モデル企業指定により、会社経営における Innovation を意識し始める大きな転換点となった。意識することは達成のための第一歩である。

⑰2012年　久喜菖蒲工業団地に自社工場を建設

　長年の目標であり、夢であった自社工場の建設が創業13年で実現した。長くて短いこの13年であったが、"よくぞやった"と言える快挙である。器ができれば事業も変わるという意味で、新工場建設は大きな意味を持つ。

⑱2013年　『彩の国工場』に埼玉県より指定（巻末に関連資料を添付）

　"彩の国工場"とは地域に開かれ、愛される工場づくりを進めるために、県内の技術面や環境面で優れている工場を埼玉県知事が指定する工場である。メタリックシルバーの清潔感ある社屋、Fume-less、Dirt-less、５Ｓが徹底した工場は環境面で高く評価される。顧客にとって安心できるメンテナンス会社という強いイメージを与える点で、『彩の国工場指定』は意味がある。

⑲2015年　『渋沢栄一ビジネス大賞』を埼玉県より受賞（巻末に関連資料を添付）

この賞を受賞した時点で、経営革新モデル企業、彩の国工場指定、渋沢栄一ビジネス大賞受賞を受けた企業は埼玉県下で２社しかない。会社として大いに誇るべきことであり、私の人生の誇りでもある。社歴が浅く、経営資源も限られる我社であるが、もうそんな表現から卒業してもいい。

⑳2016年　埼玉テレビ番組『知事のとことん訪問』で放映

県からの表彰のたびに、上田知事と会話を交わすことが増えた。上田知事が企業活動にご興味があることを知り、"ぜひ我社を訪問してください"とお願いをし、知事からも"是非とも"との回答を頂いた。その事が実現し、会社訪問と埼玉テレビ放映が実現した。久喜の田中市長も同席され、久喜市では社名が知れるきっかけとなった。

㉑2017年　福本社長に継承（会長となる）

2016年12月末日を以て、社長職を辞し、福本社長を経営トップとする新体制に経営を委ね、会長職となった。企業理念に基づいた、新たな飛躍が期待される。この年から、私は青田個人としてインドネシアでのビジネスに集中することにより、新たなページを開くことになった。

㉒Pt.Weltek Indonesia Sejahtera（Pt.WISH）を設立・事業開始

準備期間を経て、2017年10月２日に Pt.WISH を設立し、インドネシアでのメンテナンス事業を Bogor で開始した（社員６名）。異文化のインドネシアでの事業は想像を越えるもので、事業の難しさを感じる

連続であったが、2019年10月より David が加わったお陰で、少し肩の荷が下りる思いであった。私からの援助資金の返済が2020年6月から計画的に始まった。"5年後に新工場"をスローガンに、固定客が少しずつ増え、提案営業と信頼を糧にした特異な会社に成長してくれることを願っている。因みに Pt.Weltek Indonesia Sejahteraは溶接技術によるインドネシアの繁栄を願うという意味である。実にいい社名であると思う。

㉓2019年　創立20周年記念

大宮のパレスホテルで、お世話になった顧客・代理店・仕入先・取引先銀行・技術顧問・技術アドバイザーの皆さんをお招きし、盛大に創立20周年を皆で祝うことができた。歴史を造る『創立30周年』に向かって、新生ウェルディングアロイズ・ジャパンがスタートし、開発型中核企業を目指す。

あとがき

　74歳になった今、この20年を振り返って、先ず"よくぞ頑張ったね"と自分を褒めてやりたい。小野崎さんとの二人三脚でのスタートで、ベストを尽くすことを常に念頭に置き、正直のところ必死になって突っ走ってきた。30坪の貸工場からスタートし、13年で1500坪の自社工場を建設し、特異な中小企業に至る経緯は二度と無い人生に相応しいと我ながら思う。また、新生 Pt.WISH については今後いろいろの紆余曲折があると思われるが、育成したインドネシア人の社員に期待したい。企業規模は小さくてもいい。信頼と提案を売り物にできる特異な会社が親日国インドネシアに生まれ、成長してくれれば、本望である。

　振り返ってみると、幼少時期の私は実に素直な子供ではあったが、あまり健康に恵まれない結果、周囲からはあまり期待されていなかったように思う。また、小学生の高学年当たりから自我に目覚めるようになったものの、とくに何かにずば抜けて優れているというような生徒ではなかった。この頃から体力・知力共に向上するが、それほど目立った存在とは言えなかった。中学・高校では学業で一番になれるという自信らしきものはあったが、成績が一番になったことは無かった。小学校高学年・中学・高校・大学時代は家の農作業を手伝うことが多く、大学時代には農繁期で大学を休むことが多かったが、不思議とその事をハンディキャップだとは思わなかった。そのような家庭事情より、大学を含め部活の経験は無いものの、年齢の割には並外れた現在の体力はこの少年・青年時代の農作業によるもので、亡くなった両親のお陰である。

　就職先に川崎重工を選んだのは、大阪大学で学んだ蒸気工学の石谷清幹先生の影響である。先生の講義の中でいつも"ものの見方・考え方の大きさ"に魅せられた。川崎重工では、特に兼任の溶接研究室では同僚・先輩に恵まれ、また上司の清水課長（清水先生）や寺井部長（寺井

博士）などの指導の下にいろいろなことをさせてもらえる好きな会社であったが、自信らしきものを感じた事は無かった。そんな時に故藤村博士から突然ヘッドハンティングの話があり、何の戸惑いも無く二日後に転職を決意し、半年後に川崎重工を退職し、その翌日日本弁管工業に移った。責任感の強かった38歳の管理職が、よくぞこのような決断をしたものだと今になって我ながら感心する。また、退職時の上司であった阿部部長の大人の計らい（親族の家業を継がねばならないという退職理由）も見事であったと後で思った。

　それから日本弁管工業、創研工業、日本ウェルと転職に次ぐ転職であった。どの転職先でも一生懸命仕事に没頭したが、人間関係がうまくいかないことが多かった。54歳の転機においては、これが社会人としての最後の務めだと覚悟する思いで創業した。そして20年が経ち、その過程はここで述べた通りである。前4社での経験をすべて活かすことができた。

　それ程能力に恵まれた訳では無い私が、裸一貫で興した会社を特徴ある中小企業に育て上げることができたのは大義を重んじ、社会的責任を常に意識して、必死に社業に取組んだことによると思う。39歳から学び始めた中国古典および月刊誌『致知』からも必死に生きる人達の生き様を学んだ。また、全ての転職の過程でいろいろな人から貴重な言葉を頂いた。この世に生を享けるほとんどの人が並みの人間で、天才・秀才と言える人は実に少ない。並の人間でも、大義を大切にし、利を求め過ぎず、人材育成を徹底して社業に取組めば、成功するということではないか。"義は利の元"であるとつくづく思う。並の人間にも、生き方次第で、目の前にあるチャンスを意識し、それを活かせば大きな転換が期待できる。誰にでもチャンスがあるということである。

　これからは今まで経験したことを生かし、少しでも社会に貢献したいと念願している。あと20年ある人生をさらに有意義なものにしたいと願うばかりである。

付録1　技術論文の投稿

2002年8月号 溶接技術 技術解説 オープンアーク溶接法による連続鋳造ロールの耐摩耗性肉盛溶接(6P).pdf

2004年4月号 溶接技術 技術トレンド 竪型ミルにみる肉盛溶接による再生技術(8P).pdf

2011年4月号 溶接技術 特集事例紹介 企業における溶接人材育成システムの構築(5P).pdf

2011年10月 紙パ技協誌 バイオマスボイラとその関連設備における耐摩耗・耐食肉盛溶接事例(5P).pdf

2012年9月号 溶接技術 肉盛溶接の現状と今後の課題(6P).pdf

2012年11月 紙パ技協誌 竪型ミルの現地ミル内肉盛溶接による再生(5P).pdf

2013年9月号 溶接技術 ボイラ水冷壁の耐摩耗・耐食肉盛溶接技術(8P).pdf

2013年11月 紙パ技協誌 ボイラ水冷壁における肉盛溶接部のいくつかの特徴(4P).pdf

2015年11月 紙パ技協誌 ボイラ水冷壁パネルの肉盛溶接施工法の開発と実機におけるその特性例(6P).pdf

2016年10月 紙パ技協誌 流動床ボイラに見られる高温侵食摩耗とその防止に関する2, 3の試み(5P).pdf

2017年2月 紙パ技協誌 各種ボイラにおける耐食・耐摩耗溶接材料の実機による特性評価(6P).pdf

2017年4月 火力原子力発電 微粉炭焚きボイラウォールデスラガ廻り火炉壁管への耐摩耗肉盛溶接の適用(8P).pdf

2017年5月号 溶接技術 各種ボイラ火炉壁管の耐食・耐浸食肉盛溶接の適用とその効果(8P).pdf

2018年11月 紙パ技協誌 循環流動床ボイラ（CFB）を模擬した肉盛溶接部の高温耐侵食摩耗特性(4P).pdf

2019年5月 紙パ技協誌 各種ボイラ火炉壁における肉盛溶接金属の高温耐侵食摩耗特性(4P).pdf

付録2　展示会出展

紙パルプ技術協会（Japan‐TAPPI）展示会

2009年紙パルプ技術協会年次大会出展（仙台）.jpg

2010年紙パルプ技術協会年次大会出展（富山）.pdf

2011年紙パルプ技術協会年次大会出展（徳島）.pdf

2012年紙パルプ技術協会年次大会出展（旭川）.jpg

2013年紙パルプ技術協会年次大会出展（浜松）.jpg

2014年紙パルプ技術協会年次大会出展（盛岡）.jpg

2015年紙パルプ技術協会年次大会出展（新潟）.pdf

2016年紙パルプ技術協会年次大会出展（香川）.pdf

2017年紙パルプ技術協会年次大会出展（埼玉）.pdf

2018年紙パルプ技術協会年次大会出展（埼玉）.pdf

東京国際ウェルディングショー

（2002年、2006年、2010年、2014年、2018年）

2006年４月の東京国際ウェルディングショー

　2006年に開催された東京国際ウェルディングショーでは初めて３コマのブースを出した。我社としてはかなり背伸びしたものであった。

　ブースはかなりスマートなものであったと思う。この時に、三菱重工業および日鉄ハードからの訪問を受けた。三菱重工業（長崎）はミルの再生の件で提案が、日鉄ハード（本社）からは連鋳ロールの再生の件であった。三菱重工業は当時トクデンとミル再生に絡んで提携をしており、我社との連携にからんだ話であったが、トクデンの立場を考慮し、お断りした。

小野部長、澤岡部長との３人

ブースの構成

川重時代の仲間と（岩村氏と森衆議院議員）

付録3　新聞への掲載記事

産経新聞（2011.9.4）

企業の志魂
こころ

歴史に人あり　人に志あり　企業に魂あり

ウェルディングアロイズ・ジャパン

「樹を栽うるが如し」の伸展
肉盛り溶接の業界先覚

『唐の太宗』は唐王朝の二代目皇帝として、唐代30年の草創から守成に移る時期の舵取りにあたった名君。その苦心の経営ぶりをまとめた書『貞観政要』には経営にも当てはまる名言が太宗の名言が数多く記されている。その一遍に「国を治むるは樹を栽うるが如し」とある。樹木は根や幹さえしっかりしていれば枝葉は自ずと繋がるもの。つまり根は人材製の溶接材料の輸入販売をはじめ、電力業界やセメント業界、鉄鋼業界等の耐摩耗・耐食溶接施工、エンジニアリングを行い、その実績、信用評価も高い。肉盛り溶接部を置く『ウェルディングアロイズ』グループの一覧であり、いわゆる外資企業だが、その実務から会社指針一切を取りしきる気概の日本法人。インテグラサービスと呼ばれる耐摩耗・耐食肉盛り溶接に特化した開発重視の先覚派企業だ。接が摩耗・腐食した機器の再生に役立つ工法であり、環境にやさしいという時代の趨勢を得ているのも、同社の着実な伸展の要因のひとつと言えよう。まさにその'幹'である人材を鍛え育てあげてきたことこそ、樹を栽うるが如し」の成長に繋溶接システムなど、固有の技術・ノウハウを以って、さらに、根」として磨きあげ、から雪だるまの芯の如く強く固まり、伸張成長を期する。がった。また独自の全自動青田利一氏は、英国に本㈱ウェルディングアロイズ・ジャパン（代表取締役）は、さいたま市宮槻区上野4・6・33

溶接ニュース　第3種郵便物認可　2014年（平成26年）8月19日

肉盛溶接の現状と課題

特集 9〜11面

近年、目覚ましい技術革新により高度化・自動化が進展する一方で、資源の節約やエネルギーの有効活用、長寿命化をキーワードに、既存設備や機械部品などの補修・再生、メンテナンスの重要度が増している。一から製作する新作と異なり、補修・再生品は一品一様作業であり、母材や形状はもちろん、要求される機能も多岐にわたり、施工会社の経験やノウハウ、技術力などが問われる。なかでもこの作業に多用される肉盛溶接は、大きく分けて硬化肉盛と耐食肉盛があり、用途に応じた特殊溶接材料の開発をはじめ、施工会社では各種アーク溶接法やPTA（粉体プラズマ肉盛溶接）、レーザ技術など、様々な施工法で高品質な肉盛加工を実現している。ここでは「肉盛溶接」に焦点を当て、その現状と展望を紹介する。

スマートウェルディングの実現目指して

溶接から検査まで 全工程自動化へ

肉盛の高品質化につながるプロセス

当社は創業以来、約15年間にわたって耐摩耗・耐食肉盛溶接に特化した事業を展開してきたが、その事業は一部の表面改質事業にすぎない。

ここでは、この数年間において経験した火力発電設備のメンテナンスにおける肉盛溶接の現状と課題について、当社が考えていることについて述べる。

1、大震災前後の電源構成の変化

3年前の3・11に起きた東日本大地震以来、我が国の電源構成は一気に変化し、約35%を占めた原子力発電比率は大幅に低下し、現在ほぼゼロに近い。一方、約55%程度あった火力発電は現在約90%にまで上昇し、とくにLNG火力だけで50%近くを占めている。

また、2010年頃より火力発電用燃料は徐々に高騰し、燃料調達費の増大により、11年には我が国は貿易赤字に転落、12年は貿易赤字が約7兆円となり、最近では1ヵ月の貿易赤字が1兆円前後となる月もある。燃料調達費の削減はエネルギー分野にとどまらず、日本経済にとっても喫緊の課題であると言える。

2、火力発電設備の実態

このように電源構成の約90%を占める火力発電設備はその老朽化が課題で、効率化や設備信頼性の向上には、経年に応じた設備更新が必要である。ベースロード用石油火力の新設・リプレースの禁止が法で定められていることから、稼動率の向上・設備の長寿命化と併せて、石炭火力およびLNG火力に期待がかけられている。

我が国の石炭火力で、現在、微粉炭火力の超々臨界圧（USC）が最高効率の技術として実用化されている。また、今後、微粉炭火力の効率向上を進めるとともに、亜瀝青炭や褐炭も使用可能な石炭ガス化火力（IGCC、IGFC）の技術向上を進めることにより更なる高効率化（熱効率55%）が期待されている。

（図1参照＝2013年3月資源エネルギー庁資料）

3、火力発電設備の維持管理に対する当社の社会的使命

当社は石炭火力発電設備の中で、微粉炭機、配管、ボイラ水冷壁パネルなどのメンテナンスを手掛けており、その耐摩耗性・耐食性の改善に特化したビジネスを展開している。2項で述べた稼働率の向上と設備の長寿命化にはメンテナンスの在り方が大いに関連する。すなわち、稼働率の向上にはメンテナンスの短期化が重要であり、設備の長寿命化には品質の高い肉盛溶接技術および安全で確実な施工が大切である。

このようなメンテナンスの短期化、品質の高い肉盛溶接技術および安全・確実な施工は当社のような溶接施工会社が実現できることであり、当社の社会的使命とも言える。

4、スマートウェルディングの意味するもの

メンテナンスの短期化、安全・確実な施工こそ当社が創業以来主張しているスマートウェルディング（Ｓｍａｒｔ Ｗｅｌｄｉｎｇ＝ＴＭ）である。

当社のこのスマートウェルディングとは、溶接・検査・計測を含むメンテナンス作業のすべてを機械化（自動化）し、併せてそれらの要素技術をマニュアル化、データベース化、ツール化し、通信技術により最終的に無人化を図ることである。一朝一夕には実現できないが、飽くなき探求心と徹底した開発マインドにより、可能になると考えている。

このようなスマートウェルディングにより安全・確実な施工およびメンテナンスの短期化が可能となる。また今まで培ってきた肉盛溶接技術により品質の高い肉盛溶接部が得られることにより、メンテナンス頻度が少なくなる。このようにして当社の社会的使命は達成できると考えている。

5、火力発電設備のメンテナンスの一例

（1）石炭焚きボイラ

当社は石炭焚きボイラなどの水冷壁パネルの還元雰囲気下で発生する硫化腐食、浸食摩耗などにより生じる水管の減肉を防ぐために火炉内での自動肉盛溶接などによるメンテナンス工事を実施しており、得られる各種データベースを有効に肉盛溶接事業に反映している。また、ごみ発電用ボイラの還元雰囲気下の水冷壁パネルにも事業展開を広げている。このような事業展開において大切なことは以下のようなことである。

①負荷条件の異なる種々の水冷壁の損傷状況（損傷のメカニズム）をよく理解して対策を練る。

②水管の肉盛溶接部は圧力バウンダリーであり、線状欠陥のない肉盛溶接部とする。そのためには、検査・計測、肉盛溶接前の水管表面のクリーニング・研削はきわめて大切な要素技術である。

③肉盛溶接前後に実施する上記の検査・計測技術の自動化は作業を正確に実施するために大切な課題である。

④狭隘かつ障害物のある作業環境で実施する自動肉盛溶接は供用期間中の水冷壁パネルの状況に合わせて施工されなければならない。そのためには、機器は小型で、かつ、堅牢でなければならず、確実な施工ができるように少ない制御軸数であることが望ましい。写真1はこのような考え方に従って、実機の補修作業を火炉内で実施している状況である。足場が隣接した作業空間で安全に確実に正確に関連作業をしなければならない。

（2）石炭粉砕ミル

石炭粉砕ミル（微粉炭機）は石炭焚きボイラの補機にすぎないが、ボイラの安定的定格運転にとってきわめて大切な補機である。この微粉炭機のテーブルライナおよびローラは定期的に補修されており、大部分が現地（ミル内）施工である。メンテナンス期間中にできるだけ短期に補修することが余儀なくされるため、当社では写真2に示すように通常ミル内でローラとテーブルライナを同時に再生している。短期間での施工はメンテナンス期間の短縮化（ボイラの稼働率向上）につながるものでもある。

当社はこの微粉炭機の再生においても、スマートウェルディングの考え方に従って、補修に関連する他の作業を自動化し、安全に、確実・正確に、スピーディーに作業を実施することを具体化している。例えば、計測、研削、診断などの作業を自動化している。

6、今後の課題

発電設備を安全に稼働するために、法定点検または自主点検が毎年実施される。とくに、原子力発電設備の再稼働が遅れている現状では、老朽化した火力発電設備を含めた設備の定期点検は、長い場合には3ヵ月を要している。電力需給が逼迫している場合には、この長期間の点検は発電設備の稼働率を高める上で障害の一つである。

このような発電設備の点検を短期間で実施することにより稼働率を高めることができると考えると、点検をスピーディーに、安全におよび正確に実施することは現時点できわめて意義のあることである。

そのような観点から当社が進めているスマートウェルディングの考え方に基づいた補修作業こそ、時代が求める方法である。そのような意味で以下のようなことを具現化していくことが今後さらに必要となる。

①安全施工につなげるために、手作業を廃し、あらゆる作業を自動化する試み

②人為誤差をなくし、正確な施工につなげるために、検査・計測を含めたあらゆる補修作業を自動化する試み

③現地での狭隘な施工環境のもとで、スピーディーで、かつ、安全な施工を行うために、自動化と通信技術を組合せたシステム開発

7、おわりに

ここでは当社が展開しているスマートウェルディングの考え方に基づいたボイラ水冷壁パネルおよび微粉炭機の補修技術の現状と課題について述べた。現在開発中のものも含めてより早期に実現し、実機の補修において活用されることがスピーディーで、安全で、正確・確実なメンテナンスを可能にする。

肉盛溶接部の高品質化と相まって、発電設備の稼働率が大幅に高められる結果、逼迫するエネルギーインフラの解決策の一つになることが期待される。

ウェルディングアロイズ・ジャパン代表取締役
青田 利一

溶接ニュース　第3種郵便物認可　2015年（平成27年）8月11日

肉盛溶接の現状と課題

特集（9〜11面）

発注者・施工者間の信頼が不可欠

保全分野の適用拡大に活路

肉盛溶接は、様々な金属材料の表面に適切な溶接材料を溶接し、母材の性能を高め、摩耗や腐食、熱酸化などのダメージを受けたプラント設備の一部、改めて肌光を浴びている技術と言える。特に最近、資源の節約やエネルギーの有効活用といった観点からも、肉盛溶接は防食などの観点、現状の取り組みや今後の展望などについてから設備機器稼働の初期段階から採用し、紹介する。

肉盛溶接は様々な溶接方法の一つで、一般には肉盛溶接や特殊溶接に焦点を当て、品の補修に数多く適用されているが、的な溶接方法の一つ。

スートブロア周りのボイラ水冷壁パネルの肉盛溶接

◇

肉盛溶接は計画的な長年補修の際のメンテナンスにおいて実施されている。日本では肉盛溶接に先立つ肉盛溶接設計では、し使用される肉材も、機器の使用に接技術として継手溶接と同じ

継手溶接に対して、肉盛溶接という溶接方法がある。肉盛溶接は、表面改質のために、機器面、待たされる寿命③施工場所と施工時間――を明確に使用条件および材料に応じた母材・耐摩耗特性に応じる母材に損傷を受けた母材表面に適切な溶接を行うもので、肉盛溶接することがきわめて重要である。

このようなことは問題解決のために使用者による判断をされなければ、その溶接技術の信頼関係がその課題を検証した。

環境・負荷条件③稼働期間と表面損傷の原因④施工箇所

位置付けで扱われていつきまとう。溶接前後のこのような背景により、作業を含めた自動化技肉盛溶接における今、術、検査、計測技術、視技術などの要素技術肉盛溶接するほか、非破対する一層の取り組み壊検査の各工程をコンく開発は欠かせない。ユータ制御により全自動③メンテナンスについては過去の運転履歴、施いは設備設置現場で施て、とくに、設備設置現工、技術情報をオー場では短納期と安価にプンにする要求が求めら現場では短納期と安価にれる。

④肉盛溶接技術だけでなく、新商品開発技術にも発展させるのである。そのため、このには個人の技術開発能力の向上が不可欠となり、現在は大学との共同研究など産学連携にも力を入れており、これらの理由からも、とくにプラントメーカーを通じて社員のレベルアップ、早期の技術開発をこれまで機器のメンテナンスを関連会社に発注する傾向にあったが、他社との差別化を図ってい化する。スマートウェルディングを標榜する、客先での現地施工のほか、本社工場への導入も新商品開発技術も加、同研究など産学連携にもこれらの機器のメンテ、る傾向にあったが、他ルディングアロイズ・ジ

ヤパン（久喜市）では、エルディングのみならず、新商品品発技術も加え、高い保全技術として今後生かそうと考えている。

（取材協力＝ウェルディングアロイズ・ジャパン＝青田利一社長）

青田社長

第3144号　（毎週火曜日発行）

シリーズ 教育・訓練 ＝8＝

青田社長

技能・技術の融合を徹底

ウェルディングアロイズ・ジャパン（久喜市）

2012年に完工した自社工場（久喜市）

増渕興一氏死去

MIT名誉教授　船舶・溶接工学

増渕興一（ますぶち・こういち）氏が4月1日（現地時間）死去した。ことがわかった。92歳。増渕氏は1924年北海道小樽市生まれ。東京大学工学部卒、米バッテル研究所を経て71年MIT教授。95年頃には名誉教授。AWS（米溶接協会）では溶接に関する研究である「増渕興一賞」を設け、世界の溶接研究者を表彰している。

第3157号 （毎週火曜日発行）

ウェルディングアロイズ・ジャパン社長

青田 利一 氏

トップに聞く重点課題

発電・インフラが狙い
社内研修で人材育成

当社は主にセメント、電力（事業用・自家発電）、製鉄業界から機器のメンテナンス業務を定期的に受注し、摩耗・腐食低減のための肉盛施工をして各種コンベア・シュートなどを中心に、それぞれ例年並みの仕事量を受注することができた。ただ今後は、製鉄業界、セメント業界の国内市場規模の動向を振り返ると、前期比で約20％増となった。

業用火力発電所用の微粉炭機やIPP（ベース火力電源）用石炭粉砕ミルなど、電力会社からのメンテナンス業務を堅調に受注することができた。

また製鉄業界からは、高炉内での鉄鉱工程で使用される石炭粉砕ミルを中心に、セメント業界からも粉砕機（竪型ミルなど）を中心に、それぞれ例年並みの仕事量を受注することができた。ただ今後は、製鉄業界、セメント業界の国内市場規模の動向を振り返ると、前期比で約20％増となった。事は、中国、ASEAN諸国の台頭により厳しさを増すことが予想される。

このような中、当社は、2015年度の受注動向を振り返ると、前期比で約20％増となった。鉄15％となっている。製鉄50％、電力35％、顧客構成比はセメントいる。

新たなニーズを汲み取り、顧客との直取引により最も社員の教育・訓練が欠かせない。工場内での業務や現地施工の経験を積むことにより、社員1人い。

そのためには、何よりも社員の教育・訓練が欠かせない。工場内での業務や現地施工の経験を積むことにより、社員1人ひとりの技能を高めることはもちろん、社内での研修を引き続き励行していく。具体的には、毎週火曜と木曜に硬化肉盛の勉強会、毎週水曜にWES8103／ISO14731（溶接管理技術者）の勉強会をそれぞれ開催している。とくに溶接管理技術者資格について器を現地で表面研削・肉盛溶接・非破壊検査の各工程をコンピュータ制御により全自動化した仕組みのことで、客先での現地施工のほか、24時間稼働の本社工場にも導入している。今後は「スマートウェルディング」をさらに進化させ、火力発電プラント設備やインフラ設備機器など、今後も安定的な需要が見込める電力関連の案件を軸に仕事を増やしていく。

は、2級はもちろんのこと1級の資格も取得させ、溶接継手に対する理解も深めさせている。

業界が発展し続けるには、トップクラスの企業がいかに情報を公開し、社会に貢献するかがポイントになる。そこで当社は、案件をもとに自社で培った知識・経験を惜しみなく外部に公開することで、溶接業界の発展に寄与するとともに、利益を社会に還元していきたい。

国の台頭により厳しさを増すことが予想される。このような中、当社は主力企業との密な関係を築くことで、引き続き自社の存在価値を高めていく。

とくに当社では「スマートウェルディング」を提唱している。これは機器を現地で表面研削・肉盛溶接・非破壊検査の各工程をコンピュータ制御により全自動化した仕組みのことで、客先での現地施工のほか、24時間稼働の本社工場にも導入している。今後は「スマートウェルディング」をさらに進化させ、火力発電プラント設備やインフラがいかに情報を公開するかがポイントになる。

付録4　事業推移関連

	時　　期	施工件数	稼動客
1999	第1期　(H11. 10. 18 - H12. 03. 31)	5件	-
2000	第2期　(H12. 04. 01 - H13. 03. 31)	11件	-
2001	第3期　(H13. 04. 01 - H14. 03. 31)	13件	-
2002	第4期　(H14. 04. 01 - H15. 03. 31)	33件	-
2003	第5期　(H15. 04. 01 - H16. 03. 31)	72件	-
2004	第6期　(H16. 04. 01 - H17. 03. 31)	74件	-
2005	第7期　(H17. 04. 01 - H17. 12. 31)　9ヶ月	62件	-
2006	第8期　(H18. 01. 01 - H18. 12. 31)	119件	-
2007	第9期　(H19. 01. 01 - H19. 12. 31)	108件	-
2008	第10期　(H20. 01. 01 - H20. 12. 31)	112件	-
2009	第11期　(H21. 01. 01 - H21. 12. 31)	113件	-
2010	第12期　(H22. 01. 01 - H22. 12. 31)	135件	-
2011	第13期　(H23. 01. 01 - H23. 12. 31)	138件	-
2012	第14期　(H24. 01. 01 - H24. 12. 31)	139件	-
2013	第15期　(H25. 01. 01 - H25. 12. 31)	165件	66社
2014	第16期　(H26. 01. 01 - H26. 12. 31)	172件	70社
2015	第17期　(H27. 01. 01 - H27. 12. 31)	182件	75社
2016	第18期　(H28. 01. 01 - H28. 12. 31)	190件	85社
2017	第19期　(H29. 01. 01 - H29. 12. 31)	194件	91社
2018	第20期　(H30. 01. 01 - H30. 12. 31)	216件	88社
	合　　計	2,253件	

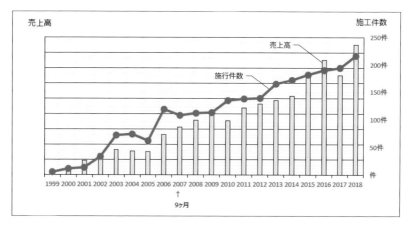

付録5　創立記念行事

　創立以来、創立記念旅行を毎年開催することが夢であった。駆け出しの頃から、徐々にその内容が変わっていく。写真および参加者の人数より分かる。

創立5周年記念（2004年、東京ディズニーランドにて）

創立6周年記念（2005年、旬采にて食事会）

創立７周年記念旅行（2006年、草津温泉）

創立８周年記念旅行（2007年、大内宿）

岩槻工場から出発

山寺で記念撮影

創立9周年記念旅行（2008年、上山温泉）

１０周年沖縄記念旅行（2009年）

　創業 100 年を超す社歴の会社は日本には約 34,000 社ある（世界の41％ が日本企業）。創業 200 年以上の会社は日本には 1340 社ある（世界の 65％ が日本企業）。しかし、いかなる国においても、経営環境は決して常に穏やかではなく、いろいろな困難を伴う会社経営であり、その困難を乗り越えて初めて長い社歴が実現する。いっぽう、日本には長い歴史の中で革命が一度も起こっていない。例えば、あの激動の幕末でさえ、結果的に維新につながる。このような日本の特徴から、また日本人の特徴から社歴の長い会社が日本に多いと言えるのではないか。

　"企業三代 75 年説"という言葉がある。創業以来紆余曲折を経て、75年が過ぎるとその企業にはいろいろな困難にも打ち克つ地力が宿るという意味である。その過程で、"10 年偉大なり、30 年歴史を造る"という言葉もある。

　WA Japan は 2009 年 10 月 18 日に創立 10 周年を迎えた。"わずか"でも"偉大な"10 年という節目にあたり、過去を振り返り将来の発展を祈念するために、お世話になったスペシャルゲストをお招きして、12月 2 日より 2 泊 3 日の 10 周年記念沖縄旅行に社員全員で出掛けた。今思い返しても、その時の嬉々とした気持ちが蘇ってくる。その内容を当社のマイルストーンとして総務部がその時点でまとめたものを以下にそのまま示す。

スペシャルゲスト

清水先生（技術顧問）ご夫妻

Mr. Loh Ahsiang
（WA Malaysiaの社長）

藤井さん
（スマートアイテック社長）

幹事

- ・旅行/記念祝賀パーティー：栗谷主任（営業部）
- ・レクリエーション　　　　：渡辺さん（技術部）
- ・アドバイザー　　　　　　：小野崎リーダ（総務部）

A.M.10:00
　羽田空港に集合
　これから沖縄にむけて出発

機内で食べる
お昼は、
みんなもらい
ましたか？

P.M.13:30
那覇空港に到着。
←さっそく記念撮影。「はい、チーズ」

みんなバスに乗り込み、沖縄の名所へいざ出発！

→
さっそくほろ酔い気分♪
ビールがうまい♪♪

ひめゆりの塔

↑
慰霊碑

　第2次世界大戦も終りに近づいた1945年3月、米軍の沖縄上陸作戦が始まり、沖縄師範学校女子部・県立第一高等学校女子高の生徒と教師は沖縄陸軍病院に配属されました。そこは、アリの巣のように掘りめぐらされた横穴の壕に二段ベッドが置かれただけの施設でした。沖縄攻防戦の中、犠牲になった彼女等への鎮魂と未来への平和を願いながら「ひめゆりの塔の洞窟」跡地を見学しました。

→
第三外科壕跡見学中

沖縄ワールド

沖縄を一気に満喫♪　全員集合！記念写真。

いろんなことを体験したよ

←沖縄の盆踊り「エイサー」を他のお客様がいる中、
みんなで踊ってみました。（ダンサー：小野、栗谷、
篠崎、西島、スプリ、ジャエナル）

↓ダンスが終わった後にお囃子の方と一緒に記念撮影

↓癒されてます。
ドクターフィッシュ体験
新陳代謝が良くなるか
な？

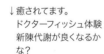

↑はぶの「あやちゃん」との触れ
合い^^; けっこう大きい。

他にも、日本第2位の長さを誇る鍾
乳洞やフルーツ園を楽しみました。

90

10周年記念祝賀パーティー

《10年間で経験した事》
①事業にはビジョンが不可欠で、このビジョンを実務の中で
　実践することが重要!!
②開発型中核企業こそ我が社の求める将来像!!
③顧客と目的を共有しよう!!
④徹底した情報の共有化を通じて顧客満足度を得るという
　スタンスがビジネスには大切!!（情報は Double-way で
　交換）
⑤明るさ、前向き思考、即行が人材の三要素であると心得よ
　う!!
⑥当たり前のことを当たり前にできる会社に!!
⑦今日一日何を学んだかという感覚で仕事をしよう。昨日より少しでも前進しよう!!
⑧継続することがきわめて大切（学問・技術のさくてつは大禁忌）!!
⑨新工場は次の段階に移るキップ

《今後の10年間で実践すべきこと》
①新工場を実現
②ISO14000 取得して、環境を大切に!!
③3R（Re-use, Recycle, Resource-saving）を事
　業の中で徹底!!
④全員が一層レベルアップして、開発型中核企業を
　事業の中で徹底!!
⑤業界を意識できる会社に成長!!
⑥よりプロを目指そう!!　そして幸せを造り出そう!!

↑ 立食パーティー

↑ ちょっと休憩中

立食パーティーの後は、
チーム対抗でクイズゲーム
を楽しみました。
難問・珍問に悪戦苦闘
^^;

問題[パンダを書こう!]
に、みんなタジタジ・・・。
チームで相談（写真上）
した結果は左の通り。

↑朝食の様子（和洋バイキング）

ホテルでの風景

→
ホテル玄関前にて、
頼もしい七人の侍

首　里　城　公　園

首里城は中山王巴志が琉球王国を統一した15世紀前半から国王の居城として政治・経済・文化の中心であった建物。日本・琉球・中国の建築様式が融合しています。

太平洋戦争における日米最後の決戦として戦われた沖縄戦（1945年［昭和20年］）によって首里城はアメリカ軍の猛烈な砲撃を受け炎上し、地上からその姿をほぼ完全に消してしまいました。現在の首里城は1992年（平成4年）に復元され、2000年（平成12年）には、世界遺産に登録されました。

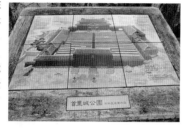

写真上：正殿前にて集合写真
　　　　（外壁は再塗装工事中）
写真下：神女の方と一緒に

＜首里森御嶽（すいむいうたき）：写真左＞

首里森（すいむい）とは首里城の別称で、御嶽（うたき）とは沖縄の聖地または拝所のことです。琉球の神話では、この御嶽は神が造った聖地であり、首里城内でもっとも格式の高い拝所。国王が場外の寺社に出かけるときにこの御嶽で祈りをささげ、神女たちが多くの儀礼を行いました。

地元の人がお祈りに来ていました。

Kadena Air Base（アメリカ空軍嘉手納基地）

沖縄市・嘉手納基地親善交流推進委員会が、極東最大の米空軍基地「嘉手納エアベース」内の見学ツアーを不定期ながら実施しているとの情報のもと、首里城見学の後に立ち寄ってみました。

残念ながら、見学ツアー日ではなかったため、基地内の見学はできませんでしたが、隣接する「道の駅　かでな」の展望上より飛行場を見学しました。沖縄市、嘉手納町、北谷町にまたがる面積19,976,000平方メートルの敷地内に第18航空団、約7500人の兵員に、軍属・家族を含めた約18000人が暮らしているそうです。さすがは、極東最大の重要戦略拠点です。

沖　縄　ワ　ー　ル　ド

　沖縄県の北部、部瀬名岬（ぶせなみさき）の沖合170mに位置する沖縄唯一の海中展望塔は服を着たまま海中世界をのぞくことが

できます。海の中はコバルトブルーの熱帯魚の楽園でした。残念ながら、この日は風が強く波が高いため、予定していたグラス底ボードを楽しむことはできませんでしたが、展望塔では海の中を垣間見ることができました。

　岬から展望塔へ海風が強烈に吹き付ける中、長い橋を渡りました。今にもとばされそうです。

　また、展望塔では、狭い螺旋階段を使って水深6.3m下に降り、青い海の世界を満喫しました＾＾

　嘉手納基地から海中展望塔に向かう途中で砂浜に立ち寄り、

沖縄の青い海を堪能♪ベストコンディションとは言い難い条件でしたが、沖縄の海と砂浜は美しかった・・・かな・・・？

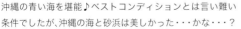

ナゴパイナップルパーク

　沖縄旅行最終観光地は急遽予定変更。パピマル君が出迎える「ナゴパイナップルパーク」へ。園内の[パイン畑]にはいくつもの種類の

パイナップル
を見ることが
できました。

びっくり！でき事♪

　何とっ！福本部長がパイナップル園30周年記念の抽選で 1 等賞を当てちゃいました！賞品は「アグー豚しゃぶしゃぶセット」おめでとうございます＼(＾▽＾)／

島唄と地料理とぅばらーま

　2日目の夕飯は「島唄と地料理とぅばらーま」にて宴会です。お店のご厚意によりビンゴ大会を開催することができ、おおいに盛り上がりました！(＾0＾)！　さらにステージでは沖縄で人気急上昇中の歌手によるライブがあり、みんなで踊り楽しみました♪(一部ステージに上がってお姉さん等と一緒に踊っちゃいました)

ライブは絶好調♪♪
↗音楽にのってオク
を先頭に、みんな
踊りだしました。
→オク、ステージ上に
て、ワンマンショー。

ビンゴ大会！
Mr.Loh が 1 番にあがり、特賞 S 賞をゲット。高額商品、特賞 SSS 賞はブービー木村さんがゲット(笑)

←ライブのお姉さんにサインしてもらいました。男性陣は皆ツーショット記念写真も撮ったよ！

　旅も最終日を迎え、午前中は
各自自由行動の上、那覇空港で
集合することになりました。

　ホテルの周りを散策したり、
お土産ショッピングを楽しん
だり、それぞれ沖縄での最後の
時間を有意義に過ごしました
^^v

そしてお別れの時･･･。

　12時、那覇空港にて、シンガポールより駆けつけてくれたMr.Loh Ahsiangを見送り、WA
Japan一同も羽田行きの飛行機にて帰宅の途に就きました。

みなさん、お疲れさまでした。
また、
11年目以降、も一丸となって WA Japan を盛り上げていきましょう。

（以上、総務部編集）

創立11周年記念旅行（2010年、白川郷）

松本城にて　　　　　　　　　昼神温泉にて

創立12周年記念旅行（2011年、信州）

創立13周年記念旅行（2012年、福島もみじ谷大吊橋）

天城の里20にて　　　　　　　　浄蓮の滝にて

創立14周年記念旅行（2013年、伊豆）

秋保温泉にて　　　　　　　　松島さかな市場にて

創立15周年記念旅行（2014年、宮城）

創立16周年記念旅行（2015年、草津温泉）

大内宿にて　　　　　　　　　　　　　　鶴ヶ城にて

創立17周年記念旅行（2016年、福島）

創立18周年記念撮影（2017年）

創立20周年記念式典（2019年）

　創立記念日の10月18日（金）11：30よりお世話になった皆様をお招きして、パレスホテル大宮３階のチェリールームで創立記念式典を開催した。創業時点でこのような式典を誰が予測できただろうか。

　必死の思いで顧客との接点を見出し、その小さなチャンスを核として、提案を繰り返しつつビジネスを大きく育て上げた結果であった。この日のお客様を見ると、その時の一コマ一コマが思い出される１日であった。

　主賓の西本大阪大学名誉教授（元溶接学会会長）から頂いた祝辞より、これからも真摯に技術を開発する姿勢を失ってはならないと思った。松村元監査役にお願いした"イヨマンテの夜"は満月の熊祭りを彷彿させるもので、感極まる思いであった。亡くなった溝田元監査役および清水先生がご存命なら、どんなに喜んでいただけただろうかと思った。この日から、新生 WA Japan は歴史を造る創業30年に向けて出奔した。

20周年記念式典に頂戴した祝電（衆議院議員・元法務大臣　森英介様）

貴社の創業20周年記念式典にお招きいただきましたが、公務と重なり、出席が叶いませんでした。誠に申し訳なく、又、残念に思います。
貴社の創業者、青田利一氏は、私にとっては、かつて川崎重工で共に溶接技術の開発研究に取り組んだ仲間です。青田氏の方が幾ばくかの先輩で、親しくご指導もいただき、しばしば酒も酌み交わしました。

しかし、青田氏は、思うところあって川重を退社され、10年余りの雌伏の期間を経て満を持して貴社を創業されました。一方、私の方も亡父の後を継ぎ政治の道を目指すことになり、昭和63年に川重を退社しました。平成2年に初当選いたしましたので、貴社の創業時点では既に衆議院議員となっておりましたが、貴社の草創期には一度ならず貴社を訪れています。

貴社は、肉盛り溶接の分野では、他の追随を許さない技術を確立され、プラント業界等から高い評価と大きな信頼を得るに至りました。今や業績も極めて良好と聞いております。貴社の役職員の皆様の今日までの並々ならぬご努力に対しまして深く敬意を表します。

なお、青田利一前社長は、創業以来苦楽を共にした福本宏昭社長に後事を託し、今年の初めにインドネシアに渡り、彼の地の溶接技術の向上と啓発のために奮闘されています。

創業20周年にあたり、貴社のような優秀な企業を産み育てられた青田利一前社長の偉大なご功績を称え、これからは福本宏昭社長のもと、貴社が一層発展されますこと、併せて、新天地での青田利一氏のご活動が輝かしい成果を挙げられますことを心から祈念いたします。

衆議院議員　元法務大臣　森英介

付録6　心に残る行事

AOTS（海外技術者研修協会、現 HIDA）の見学と講演（2004年）

　私は43歳頃から何か海外の人達に出来ることはないかと考えていた。たまたま浦和出身でAOTS の人材育成担当であった方が、ブラジルに行かれることになり、その席が空席になったことをきっかけに、私に依頼があり、快諾した。年に数回そのような講師活動をボランティアに近い形で実施していた。私にとっては、当時会社を休んでの活動であったが、嬉々とする時間であったことを思い出す。

　WA Japan 創業後もそのような依頼が時々あり、中小企業の見学会（我社の工場見学）・講習会をすることになった。岩槻工場の隣の岩槻消防署の会議室をお借りしての講演を終え、工場見学をして頂いた。工場ではPC を持ち込んでの説明を各人が行った。実に新鮮であった。

消防署の会議室を借りての講習会

工場での見学会　──全員が慣れない英語で説明

暑気払い（岩槻工場事務所にて、2004年）

　創業5年目の駆け出しの企業であるにも拘らず、皆の顔が不思議に新鮮に、且つ希望に満ちているように思える。中途採用の人、人材バンクからの人（シルバー）、実習生・研修生、契約社員の人達も社員と同じように見える。私を含めて全員が若い。事業を模索している時期だけに、経営状況は厳しいものの、こんな時が実に懐かしく思える。今考えると、家族のような雰囲気であった。"小僧寿し"からの出前寿しが実に美味しく頂けた。

初めてのインターンシップ（2005年）

　インターンシップ生受入れを希望し、初めて東洋大学生（２名）を受け入れた。大島君と井上君であった。その大島君は我社の最初の定期採用社員となった。写真は成果報告会の状況である。全員が作業服そのままの姿で成果報告会に参加している。アウトソーシンガーの藤井さんも真剣である。

　この年から毎年インターンシップ生を受入れ、今日まで続いている。時には社員数と同じぐらいのインターンシップ生が来てくれた。そんな中で、いろいろなエピソードも生まれた。新聞配達で育った熱心な女子学生、人が変わったようになり、最後は休日出勤まで願い出た斎藤君、等々である。このようなインターンシップ実施時は当時の狭い食堂がさらに狭くなったように思えるとともに、活気を感じた。社員も歓迎し、良く面倒を見てくれた。

わいわいマーケット（2006年）

　各国からの研修生・実習生の為に、岩槻日本語交流プラザ（ボランティア団体）の人達が企画してくれた"わいわいマーケット"であった。各人が不要になった品を持ち寄ってのフリーマーケットを兼ねた年末の忘年会で、恒例行事であった。みんな祖国を思い出しての、国際色豊かなお祭りであった。ボランティアの皆さんに感謝であった。私もボランティアの人達と一緒に合唱に加わった。

インドネシア（アリフとアマル）と
フィリッピンの共演

インドネシアの人達の踊り（アミル）

ボランティアの人達による合唱（私も右端で参加）

AOTS 研修生が工場見学（2006年）

　AOTS 研修生が工場を見学。アジアからの研修生が主であった。研修生はその国の今後を担う人達であった。彼らは今どこで何をしているのか？

　受注量が増え始め、工場が狭くなりつつある様子が雑然とした工場から窺える。岩槻工業団地のけやき通りに面した工場が懐かしく思える。秋にはけやきの枯葉が工場内に舞い込んで、毎日の大掃除が大変であったことを思い出す。

ソフトボール大会で準優勝 (2006年)

　工業団地主催の恒例のソフトボール大会に参加した。どう見ても準優勝するとは思えないメンバーであったが、準優勝したのである。幸いにも、高校時代にウィンドミル投法でならした派遣社員がいたのである。ただし、開催２週間前から昼休みは練習に没頭し、午後の仕事が始まっても汗は引かず、大変であった。この練習には全員が参加した。その成果も出た準優勝であった。

　ソフトボールを初めてやる研修生・実習生、野球をあまりしたことの無い人等々様々であった。どう見ても捕ってくれそうにない、打ってくれそうにない人達が多いのに、準優勝した。

全員が昼休みに練習に明け暮れたので、全員が機会均等に参加するソフトボール大会であった。上手い・下手は関係無いのである。しかし、みんな必死でやったことだけは間違いなかった。そんな経緯より準優勝してしまったのである。

初めての岩槻祭り（2006年）

　研修生・実習生が岩槻のボランティア（日本語交流プラザ）の人達より、毎月曜日午後6時から日本語を教えてもらった。この活動にはスプリまでお世話になった。この日本語交流プラザの恒例行事は岩槻祭り（8月）と年末のワッツでの"わいわいマーケット"への参加であった。いつも研修生・実習生がお世話になっていることおよび代表世話人への感謝の気持で私は毎年参加し、お礼をさせて頂いた。皆が担いだのは重さが1トンの万燈みこしであった。異文化の日本でこんなことを経験したのである

交流プラザの皆さんに着方を教えてもらい、不安気にそれぞれ慣れない法被を身に付けることにした。最後はお疲れ様会で頂いたごちそうが、空腹も手伝って、実に美味しく頂けた。お世話になった長江先生も大活躍であった。

年末大掃除後の記念写真（2006年）

　2006年年末大掃除を終え、全員で記念撮影した。創業時から5Sには徹底した。街路樹の枯葉が工場内に吹込んできて、毎日大掃除であった。『青田さん、そんなに綺麗にしても、仕事は増えませんよ』と隣の人から皮肉めいた事を言われたが、気にせずせっせとやった。そんな社風が新工場でも生きているのである。併せて、写真からこの当時でもいろいろ開発をしていた様子が分かる。また、古い工場であるが、整理整頓が行き届いていることが写真より分る。

　ISO9001取得に向けチャレンジしていることを宣言している。『何事にも独力で挑戦』は、創業当初からの我社の姿勢である。藤井さんに随分お世話になったが、何の問題も無く取得できた。予算も節約できた。

　ISO認証取得は標準化活動の一環であり、人材育成の為にやらねばならないと考えて取り組んだ。その姿勢が我社の人材育成にも生きていると思う。今やっていることをそのままルール化するという発想で取り組んだ。

溝田監査役の突然の逝去 (2008年)

　朝一番の突然の電話で溝田監査役の逝去を知っ
た。亡くなる一週間前に来社され、帰りに居酒屋
で一緒に夢を語ったが、いつもの溝田さんとは少
し違う何かを感じた。お金の問題のようにも思え、
『私は大したことはできないが、個人的には1000
万円程度なら、なんとかなる』と言ったが、否定
された。慙愧に耐えない。溝田監査役のこの突然

の死が無ければ、私の人生も大きく変わっていたと思えてならない。

　四十九日の法要が徳蔵寺でしめやかに行われた。会葬者の誰もが“何
故命を絶つ必要があったのか”と思われた筈である。溝田さんからの私
への遺言から、如何に溝田さんが友を大切にされていたかが分かる。溝
田さんらしい考え方であるが、残念でならない。

"日本の祭り"に岩槻工業団地を代表して参加（2008年）

　我が国恒例の"日本の祭り"がさいたまスーパーアリーナで開催された。青森から九州までの我が国を代表する祭りがアリーナに一同に会した。開催市の大宮市からは岩槻の人形神輿、浦和の神輿、地元大宮商工会の神輿の計３台が参加した。岩槻の人形神輿は岩槻工業団地を代表して、WA Japan が担いだ。岩槻の人形神輿は、人形の町"岩槻"に相応しい神輿で、人形が中央に陣取っている。日本に一つしかない神輿である。

工場内でのバーベキュー大会（2008年）

　工場内での始めてのバーベキュー大会を開催した。カラオケも無いのに、マイクを持って、ビールケースの上で歌っている。皆楽しそうである。実習生もみんなと一緒に楽しんでいる。歌が上手い、下手は関係なくやっている。こんな楽しみ方もいいものである。

Advanced Course in France （2009年）

　2009年 WA France で開催された Advanced Course の勉強会に参加した。講師は Jean Luc Desir で非常にレベルの高い勉強会であった。おそらく、その後もこのような質の高い会議は無かったと思う。Colmarの夜を楽しみ、フランスとアジア対抗のテニスを楽しみ、最後は WA Japan の創業10周年記念を皆で祝ってくれた。

Mr. Les Witmore とのバーベキュー（2009年）

Mr. Les Witmore を交えてのバーベキュー大会を開催した。後ろにはスクリューコンベアーが見える。ブルーホースがぶら下げてある岩槻工場の一角での写真である。力比べのバーベキュー大会であった。

2011年度　経営革新モデル企業に指定（2011年）

１．彩の国経営革新モデル企業とは

　「彩の国経営革新モデル企業」とは埼玉県が国の委託を受けて展開している「経営革新計画」制度の承認を受けた企業のうち、模範となる業績をあげた企業を県が選定し表彰する制度である。

　これまで計画承認を受けた累計2261社のうち、2011年度は我社を含む４社がその成果を認められ、１月25日にさいたま市スーパーアリーナにて『モデル企業』として表彰された。

２．我社の開発テーマ名

　「無人化された耐摩耗・耐食肉盛溶接法（Smart Welding™ と呼称）の開発」がテーマで、計画承認日は平成17年12月１日で、埼経革第1034号（中産労第369号による）である。

３．スマートウェルディング™ について

　開発型中核企業を目指す我社が進めてきたのは、肉盛溶接施工の完全自動化と関連する最新の要素技術を取込むことによる高付加価値化された一連のプロセスである（本システムをスマートウェルディング™ と呼称）。

　自動溶接システム以外の一連のプロセスとしては、レーザによる形状の自動計測、溶接部の自動研削、溶接状況のモニタリング、ベアリング診断等で、実際の機器の再生ビジネスにおいて活用されている。自動溶接システムと絡め、高度で安全・確実な自動肉盛溶接が可能となった。

清水先生夫妻との伊東地区小旅行（2013年7月）

　約45年前に当時の川崎重工業同期会十数人の男女のグループで石廊崎に、その数年後に当時の技術第三課（課長：清水茂樹氏）の社内旅行で伊豆・下田に・・・、この２回を除いて伊豆半島に足を運んだことが無かった。

　そのような状況下で、また大した予備知識も無く、この度清水先生ご夫妻と伊東地区小旅行を企画し、実行した。残念ながら、七夕とその翌日共に60％の降雨との予報であったが、当事者の善行によるものか、実質的にはほとんど雨に降られることのない２泊３日であった。むしろ、梅雨時にもかかわらず、五月晴れを思わせるようなさわやかさの中で、この小旅行を楽しむことが出来た。

　東海館の系譜を受け継ぐ"伊東遊季亭"で２日間宿をとり、美味・美食を満喫できた。残念ながら清水先生は温泉湯につかることが出来なかったが、またの機会として、その他については全員満足できる旅館であった。健康そうに日焼けしたフロント嬢の対応にも好感が持てた。

　７月７日は清水先生の希望通り修禅寺と城ヶ崎海岸に足を運び、私自身も有意義な旅行となった。修禅寺では小京都をしのばせる地名と落着いた雰囲気で、清水先生ご夫妻には満足頂けたことが何よりであった。瑞宝蔵でも岡元綺堂の戯曲"修禅寺物語"にも接することが出来た（無知であった自己を恥じる）。境内に設けられた床几で小休止をとり、頂いたサクランボの味と食感が今も残っている。

　城ヶ崎海岸は大室山の噴火に因る溶岩が波に浸食され、出来た自然の変化が魅力であった。高所恐怖症の私にとって、吊り橋を往復した後、買って頂いたソフトクリームはホッとすると同時に、童心に帰る思いであった。おそらく清水ご夫妻も同じであったと思われる。

　創作和食が売りの遊季亭での夕食で、私にとって金目鯛の煮付けは最

高であった（母親の味を思い起した）。やはり日本料理は世界に誇る食文化であると思う。

　翌日（7／8）は先生より申し出のあった伊東が輩出した"木下杢太郎"の生家を訪ねた。質素な二階建ての建物で、使っている木材からもそれ程贅沢な造りではないことが分かる。しかしながら、杢太郎の非凡な資質と彼の生き方には脱帽である。凡人の私など、爪の垢でも煎じて飲むべきであると思った。これからでも、遅くはない…少しは真似をしたいものである。"老いて学べば死して朽ちず"という江戸時代の儒学者の言葉を思い起した。

　最後に、清水先生の無言の希望を察することができ、韮山の反射炉を訪ねた。江川太郎左衛門英龍の使命感と意気込みが伝わってきた。反射炉の構造をはじめて知った。製銑・製鋼・鋳造技術そのものである。

　清水先生にお世話になり、約10年が過ぎた。新工場を竣工し、建物は出来たが、要は人である。"人は石垣、人は城"。その人育てが最も重要である。この人育てで、10年間お世話になった清水先生ご夫妻に感謝である。駆出しの我社であるが、この事を心に刻み、これから精進することを誓った。

　結果的に、この旅行が清水先生夫妻と行動を共にする最後であった。翌年3月18日に清水先生は亡くなった。亡くなる直前に奥さんに"もう一回青田君と話がしたい"と言われたそうである。その話を後で奥さんから聞いた時に、私は有難いと思うと同時に、残念であった。

夕食時に一緒に撮影(7／6)

遊季亭のロビーで一休み(7／6)

修禅寺で(7／7昼頃)

本堂前の桂の木(7／7)

修禅寺本堂前の男松と達磨(7／7)

渡月橋から見た桂川の清流(7/7)

境内で一休み(7/7)

城ヶ崎海岸を走る遊覧船(7/7)

城ヶ崎海岸より伊豆大島を望む(7/7)

国立公園城ヶ崎海岸の魅力(↑および→)
(大室山の噴火による溶岩が波に浸食されて出来た変化が魅力)

城ヶ崎海岸のつり橋(7 / 7)

遊季亭から見た松川と新緑(7 / 7)

最後の夕食(7/7)

木下杢太郎の生家を訪ねる(7/8)

2013年度　『彩の国工場』に指定（2013年）

1.「彩の国工場」とは

　「彩の国工場」とは、地域に開かれ、愛される工場づくりを進めるため、県内の技術力や環境面で優れている工場を、豊かな彩の国づくりの一環として埼玉県知事が指定する工場である。

　県内の約18万社の中小企業の中で、これまで指定を受けた会社は約20年間で累計約600社しかなく、約300社に1社という割合である（この年の指定工場は40工場）。平成25年11月7日(木)に埼玉県知事公館において指定式が行われ、上田清司知事より指定書とプレートを授与された。

２．我社の主張

　我社は数年前より、Smart　Welding™（無人化された肉盛溶接による機器の再生）を主張し、その実現に向けて取組んでおり、今後もそのグレードアップに力を注いでいく所存である。また、我社の品質保証の考え方はISO9001の品質保証マニュアルの中に謳われているが、品質維持のためには技術のレベルアップと併せて作業環境の改善はきわめて大切である。

　我社の事業である「肉盛溶接による機器の再生」においては作業環境が劣悪になりがちであるが、創業以来この環境改善こそ品質維持に欠かせない要素と考え、生産設備の増強と併せて５Ｓの励行および設備投資を含めた環境浄化活動を続けて来た。その結果、我社のような金属加工業には珍しいと言える程の作業環境を維持するまでに至った。

　今回の彩の国工場指定を励みとし、さらに技術を向上させ、環境に優れた工場を目指してもの造りに励む所存である。企業規模は小さくても、「物造り立国日本」に恥じないような会社を目指したい。

2015年度　渋沢栄一ビジネス大賞を受賞（2015年）

　埼玉県では、斬新な技術・製品開発に取り組み、大きな飛躍を目指す県内の中小企業を表彰する「渋沢栄一ビジネス大賞」を、平成23年度から実施している。我社はそのテクノロジー部門でビジネス大賞を受賞した。

　表彰式は平成27年2月3日に「大宮ソニックシティ」にて行われ、上田知事より表彰された。また、国内最大級の展示商談会「彩の国ビジネスアリーナ2015」（平成27年1月28日〜29日さいたまスーパーアリーナ）において、受賞企業各社の紹介展示が行われ、我社の技術を来場された皆様に見て頂いた。

受賞対象となった「火力発電用ボイラの水冷壁パネルの肉盛溶接による補修作業の自動化技術」とは以下の様な技術を目指したものである。発電用ボイラの火炉は冷却用の水冷壁パネルで四方を囲われている。水冷壁パネルは、燃焼ガスとその負荷条件により、パネルの水管表面に腐食・摩耗が生じる結果、減肉することになる。近年、燃料の質の低下や高効率化の指向等の理由により、この水冷壁パネルの短寿命が国内外において問題視されている。

　稼働中のボイラは2年に1回必ず法定点検を受ける必要がある。この法定点検時において、次の点検時までに水管厚さが法定肉厚を下回ると懸念される場合には、新規のものに取り換えるか、減肉修復・防止対策を講じる必要がある。

　我社はこの減肉修復・防止のための肉盛溶接作業を火炉内で自動的に実施するために専用自動装置を開発し、関連する工程を含めて自動化に成功した。その結果、①作業員の作業時の安全性の向上、②工期の短縮に伴い発電プラントの稼働率の向上、③新品との交換による補修に比べて大幅なコスト削減を可能にした。この様な我社の指向は、国内のエネルギーインフラが直面する課題の解決に大きく貢献することになるものと期待している。

ボイラ・タービン主任技術者会議で技術講演 in 北海道（2016年）

　2016年12月北海道旭川で開催された道内ボイラ・タービン主任技術者会議において、ボイラ水冷壁パネルの耐食・耐摩耗肉盛溶接技術について、WA Japan が技術講演を行うことになった。経産省共催で開催されたこの会議には、道内より100社を超える企業が参加した。約１時間の講演であったが、現実的な２・３の質問にも主任技術者の苦悩が垣間見られ、今後の発電設備のメンテナンスにおける技術として大いに期待される。

　圧力バウンダリーに現地で（燃焼室内部で）溶接補修するということに、保守的・否定的になりがちであるが、この溶接技術が安全且つ確実であることを訴えた。

付録7　WA Japan の今後の在り方

　本資料は Stekly Family との株式保有率交渉において、代表取締役の私が主張した内容である。

1．WA Japan の16年の経緯は？

　WA Japan の創業以来の約16年の概略経緯を以下に記す。

①WAJ は1999年10月18日創業で、現時点で約15年半が経過した。

②日本の耐摩耗・耐食肉盛溶接という市場は、こんなニッチな分野ではあるが、日本市場の性格は他の国と異なる。日本での十分な実績（WA の他国の実績は実績にはならない）、Compliance や保証（QC ではなく QA*1）を求める大手顧客、顧客の支払い条件（長い場合には６カ月という手形サイト）等々である。

③創業１年間は日通の倉庫（約100㎡）を賃借りし、この分野のビジネスが分からないまま、社長夫婦と愛知産業からスカウトした小野さん（現工場長）の３名での操業で、殆ど WA グループからのサポート無しに無我夢中での展開であった。ある意味ではサポートが無くて良かった。それでも最初の１年間で直接取引の下に５件のジョブをこなした。

④定期新卒採用と人材育成が会社の発展には不可欠であると信じ、その事を常に考えて会社経営を行ってきた。会社経営と言っても当初は会社の体をなさない弱小企業である。それでも、創業日から"開発型中核企業"を目指し、今も毎日全員で唱和している３項目の理念（2-②参照）を掲げ、ビジネスに徹した。

＊1：QC（Quality Control）は単に仕様書を満たす品質であればいいが、QA（Quality Assurance）は納入後に生産工程で問題無く機能を発揮することを保証することと解釈している。

⑤１年後に、"岩槻工業団地内の貸工場"に引っ越した。約830㎡の工場が広く見え、持込んだ２台のポジショナが小さく見えた。そんな状況も年毎に変わり、６年目頃には手狭に感じるようになった。７年目からインターンシップを開始し、翌８年目から新卒の採用が始まり、今日まで毎年採用を続けている。翌９年目には自力でISO9001 Registration認証を取得し、機械器具設置工事業社としても翌年認可された（建設業許可）。

⑥創業３年目から社内で勉強会を開始し、現在も続けている。この勉強会を通じて全員が技術者になるという自覚が生まれ、現在ほぼ全員が溶接管理技術者資格（ISO14731）を有し、非破壊検査技術を含むその他の資格取得に計画的に励んで今に至っている。この様な社内でのOJTおよびOff-JTの下に全員が技術者であり、またきわめて高い愛社精神の下に仕事に励んでいる。この様な実態はWAグループでは他に例を見ないものであろうと思う。

⑦我社のビジネスは当初からEnd Userとの直接取引を貫き通しており、我社の様な中小企業でこの様なビジネスは異例であると言える。しかも、殆どの顧客が超大手で、業者指定の下にビジネス展開できている。我社のレスポンス、社員の質の高さ、責任感を含めた愛社精神、仕事に対する真摯な姿勢、等があってはじめて可能になることである。この様な実態もWAグループ内では異例であると思う。毎年固定客が３・４社増える筈である。

⑧我社の様な社歴の浅い中小企業が開発型中核企業に成長するためには、どうしても研究資源を有する大学との共同研究が欠かせない。埼玉県下の３大学との接点を持ち、約８年間共同研究を実施して、現在に至る。この様な姿勢が学協会の専門誌への寄稿・知的所有権取得にもつながり、また日本の大企業はこの様な我社の姿勢を評価している。我社が超大手の企業との間に構築している関係は我社のこの様な姿勢に

も大きく依存する。

⑨インターンシップ制度や学協会活動への継続的参画、大学への企業説明会への継続的参加と新卒採用、産学協同活動に基づく開発と知的所有権取得に向けた我社の意気込み等の姿勢により、我社は11年目の2010年11月19日に、日本の唯一の国営テレビ（NHK）の『特報首都圏』という番組において、人材を求め、育成する姿勢が放映された。2012年には経営革新モデル企業、2013年には彩の国工場として指定され、2015年には渋沢栄一ビジネス大賞を受賞した。埼玉県には約185,000社の中小企業が存在するが、これらの三つの賞を受けている企業は2社のみである。

⑩操業13年目（2012年の5月）にして念願の自社工場を実現した。厳しい経済環境の中での新工場落成であった。ビジョン実現の為には、どうしても必要な新工場である。

⑪この様な経緯の下に、我社の年間受注物件は年々コンスタントに増え続け、2015年現在約180件程度（平均15件／月）となっている。2015年度の売上目標は57,000万円程度ではあるが、現在の経営姿勢の下で成長を続けることにより、業態を変える事を目論んでいる。

2．WA Japan のビジョンとは？

我社の創業以来のビジョンは以下の通りである。

①WA Japan のビジョンは開発型中核企業に成長し、耐摩耗・耐食肉盛溶接という分野で特異な会社に成長することである。この様なビジョンを目指し、皆で必死に事業展開してきた。

②WA Japan の経営理念は以下の通りである。この様な理念を常に念頭において、会社経営にあたってきた。

　a. 社内にあっては報告・連絡・相談を徹底し、社外では情報の共有化に努め、顧客満足度を得る。

b. 物事を多面的に且つ長期的に捉え、真髄をつかむ。・・・これは
　　思考の3原則である。
　c. 明るく、前向き思考で、即行する。
③我社がこのようなビジョンを実現するためには、重要顧客のキーマン
　との間に構築した関係よりニーズを探索し、その顧客のニーズに基づ
　いて速やかに改善・開発を展開する姿勢こそ不可欠である。今後の経
　営においても、意思決定のスピードが求められる。停滞した約16年間
　の経済環境の中で、今の状況を造り得たのは意思決定とリーダーシッ
　プによるものが大きいと言える。
④我社は日本の耐摩耗・耐食肉盛溶接という分野で、圧倒的に経営規模
　が小さい企業である。今後のビジネス展開において、さらに成長路線
　を歩むためには、高い資質の人材、開発費、実行力が必要である。

3．社長が歩んだこの16年とは？

　この約16年において、社長が実行してきた概要を以下に記す。
①創業以来常に先頭に立ち、営業・技術を支え、さらにものの考え方に
　ついても具体的ビジネスの中で、皆に示してきた。人材育成とはその
　ようなものである。
②資本金1,000万円という資金的にきわめて脆弱な状況下で、しかも手
　形を切ることなく今まで操業してきた。英国に増資の必要性を主張し
　たが、残念ながら回答が得られない状況（無視される状況）であった。
　おそらく、英国にも先立つものが無かったのであろう。したがって、
　創業当初は資金がショートすることがよくあり、そのような状況にお
　いては社長の僅かな貯金を一時的に切り崩し、切り抜けたことも何回
　もあった。月末の支払日にはそのような事を何度も経験した。
③WA Japan がある程度ビジネスができ、銀行からの運転資金の融資
　が得られるような状況下では、連帯保証人となり、僅かであるが全て

の私財を担保に入れて、融資を受け、遅滞すること無く支払ってきた。この様な連続でメインバンクの埼玉りそな銀行も社長個人を信頼するようになった。支払い計画に従って支払い続けられる事は信頼そのものである。この信頼は年数が経つにつれてだんだん大きくなり、我社が第三者より表彰される度に不動のものとなっていった。有難いことであった。

④我社のスタッフ・社員は社長にとって身内あるいは子供同然である。ある時は厳しく叱り、ある時は喜びを共にする仲である。社長の喜びは社員が成長する場を見ることである。売上の増大とは異質な次元の高い喜びである。何故ならば、売上増は一過性のものであり、人の成長は将来の糧である。若い社員がチャレンジして溶接技術者資格を取った時の喜びは筆舌に尽くしがたいものである。そんなことが何度もあった。社長冥利に尽きる。人材育成を口にする事は実に簡単である。仕事の繁閑に関係なく、経営状況の良否に関係なく、時間と金を費やすことを前提に育成に励むには、実行力と将来を見据えた信念が必要である。

⑤社長には、川崎重工業時代の関連業界との付合い、数多くのボランティア活動を含め、今まで構築してきた個人的なネットワークがある。溶接学会・溶接協会・行政（国および地方、JICA*2やHIDA*3含む）等々である。この様な個人的ネットワークを少しずつ我社のスタッフに移転し、法人の強みにしたいと考えている。この様な発想は企業が成長するためには必要で、まさしく全と個（Holon）の発想である。

⑥高い高い日本の土地、何年もの間、新工場用地を何度も見学した。なかなかぴったりするものが無かったが、最終的に現在の土地を紹介さ

＊2：海外に出て発展途上国を支援するODA組織（Japan International Co-operation Agency）
＊3：海外の人材を日本に招いて育成するODA組織（海外産業人材育成協会、The Overseas Human Resources and Industry Development Association）

れた時には、少し狭いと感じながらも、チャンスだと思った。しかし先立つものが無い。英国に話したが臨場感が無く、連絡が無い。これという物件は絶対に逃してはならない。企業規模の大小に関係なく、創業者にしか分からないものである（チャンス到来である）。連帯保証人となって私財を担保にして融資の申し込みをし、融資が決定した。銀行がこれ程有難いものかと痛感した次第である。

⑦土地を買えば後は上物である。以前から温めていた案を建設会社に示し、図面と見積書が届いた。金額を見て驚いたが、標準的な坪当たり単価である。その案と見積書を英国に送ったが、レイアウト等についてコメントがあったものの、その他の言及は無かった。ビジネスをするのは私達であり、英国からは臨場感が伝わってこないのは当たり前である。建設に踏み切り、私達が考えている立派な工場（クリーン、すっきりした工場および事務所のレイアウト）が完成した。小躍りする思いで、皆で喜びあった事は今も忘れない。小さい工場ながら、WAグループでは一番機能的で、洗練された工場であるとの確信があった。

⑧落成式は手造りのもので、皆で企画・実行した。私が今まで経験した落成式の中で、最もジーンとくるものであった。感無量とはこのような事を指すものだと思った。この時の状況は一生決して忘れない。最後に、代表としての来賓に対するお礼の言葉の中で、必死になって涙を抑えることができたのは（生来の涙もろさからすると）幸いであった。

⑨隣の駐車場は別の所有者のもので、工場建設中に売りに出ている事を知った。"隣の土地は借金してでも買え"という金言がある。不動産会社に申込み、第一位の交渉権を得て、最終的に購入したが、銀行からは融資過多という理由で会社は融資を受けられず、個人の借金で購入を決めた。この事は英国には言わなかった。何故かと言えば、英国からの意思決定にはいつも時間が掛かり（往々にして回答が得られず）、

チャンスを失うと思ったからであり、今でも我ながら素晴らしい決断であったと確信している。この土地を購入したおかげで、正門・裏門ができ、工場の価値と利便性が飛躍的に上がった。

⑩銀行からの融資は全て社長の連帯保証があって実現した。社長の信頼が高かったと言える。しかしこの連帯保証が社長にとって大きなプレッシャーであり続けていることは事実である（現状では約６億円の保証人）。この様な事は Financial Report からも分かる筈であるが、誰からもその事に触れられた事は無い。

⑪この様な状況下の約16年である。会社の内容がある程度良くなってきたこの時期、2.5％のロイアリティに加え、純利益の60％を英国に収めるとの話である。銀行融資が先行されるとは言え、これからの成長路線は無いということである。なお、当初60％EBIT という気違いじみた訳の分らぬ言葉があったが、それを Reasonable と言った人もいた。本当にそう思っているのであるなら、その人は経営に無知な人と言わざるをえない。

⑫創業から今まで WA グループの一社としてやってきたが、英国から受けた恩恵は最初の創業時の出資で、それ以外は殆ど無いと言える。むしろ、WA グループ会社に新しい技術情報、開発技術の移転をしてきたという認識である。この事は他の Subsidiary が認める事実であると思う。

⑬創業時の２・３人の当時以来、一貫して仕事に没頭した16年である。WA グループ企業の中でもっとも仕事をした一人だと自負している。また、お陰様で人並み外れた体力と不屈の精神力に恵まれたからこそ、今までやってこれたものと思っている。自己実現という言葉そのものである。間接部門が手薄であった為に、提出資料が遅れることも多かったが、創業時の技術確立とその後の技術開発に没頭する結果である。今もなお、社内では全体を見つめつつ、社員の先頭に立って仕事に専

念し、人材育成に励んでいる。社外では WA Japan の代表として、超大手顧客のキーマン、学協会、教育機関、行政（国レベルおよび地方レベル）の場において辛口の意見を主張しており、その姿勢は高く評価されている。この様な姿勢により、1-⑨で述べたテレビ放映、経営実績の評価、大賞受賞が実現したと言われている。

4．WA Japan にとって必要なものは何か？

WA Japan にとって必要なものを客観的に考えると以下の通りである。

①社長の存在無しに、また社長とスタッフ・社員の信頼関係無しに、WA Japan の今日は無いと言い切れる。社長はスタッフ・および社員の鑑でなければならず、新卒の社員は誰もが社長を信頼して、WA Japan を就職先に選んできたと言える。ゼロから創業の中小企業が成長するためには、社長の志・情熱、人間力、リーダーシップ、エネルギーが必要なのである。70歳になった社長ではあるが、スタッフ・社員は社長の続投を望み、一緒に働けることに意義を感じている。この状況が今後数年の WA Japan の成長路線にとって必要である。

②日本独自の経営環境はおみこし経営という言葉でよく表現される。日本経済を支えてきたトップ企業は全てこのような体制で、成長してきた（今後も成長する）。資本家、トップマネージメントおよび社員がそれぞれの役割分担を意識しつつ一丸となって経営に参画・協力するという構図である。Master と Slave という関係では決してない。この背景には、持株制の下に社員も株式を持合い、高い愛社精神で会社を盛りたて、経営をサポートする組織である。いい時は額面に対して10%程度の配当金を受け、厳しい時には会社を下支えするのである。どのような状況に対しても強いものである。要するに資本家無しには会社は存在しない。トップマネージメント無しには会社はうまく経営

できない。社員無しには会社は存在しない。

③会社が Innovative であることは会社が成長するために大切な要素である。資本家・トップマネージメント・社員にとって、会社の成長は共通の目標である。3-⑪で述べたことは会社の成長にとって大きな障害である。この様な障害無しに、今後のビジネス活動を維持できることが大切である。

5．我々 WA Japan の選択は？

以上の様な背景より、WA Japan のビジョン実現のために、とるべき選択を述べると以下の通りである。

①今後もビジョン実現のために、現状の体制下（社長の指導力の下）で成長路線を歩む。

②その為には、2.5％のロイアリティと純利益の60％送金は余りにも大きな障害で、今後の成長は不可能である。そこで、持株制を前提に増資し、あるいは WA 所有の株式を買戻し、WA Japan 側で Majority を確保する。しかしながら、WA グループにとどまる。

③今後も開発型中核企業を目指し耐摩耗・耐食肉盛溶接事業に特化したビジネス展開を徹底する。ここで得られた技術・情報を WA グループに無償で移転し続ける。

6．まとめ

WA グループの創業者である Dr.J.J.K.Stekly とは筋書きの無いドラマの中で会った。私がお世話になった川崎重工時代の個性派指導者（Dr. Terai）にも似たオーラを感じた。また、故人（Dr. Stekly）も当時私を経営者の卵として高く評価したと思っている。人と人との無言の出会いはそのようなものである。創業当初はロイアリティ制度は無く、ロイアリティ0.5％の話は Jan の死後何年かした段階であった。その時も私は

当時の CEO の Victor に、Subsidiary を代表して、約30分間マレーシアでその主旨を詰問したことを覚えている。

　今回、唐突に思えるかもしれない最後の提案を、断腸の思いで作成した。この内容が WA Japan にとっても、また WA グループの長期的発展という切り口からも最善策であると信じている。

　なお、本提案が採択されない場合には、社長は長年の労に対する慰労金を受け、駐車場用地を売却し、あらゆる連帯保証の任から解かれて退陣する。

（以上）

付録8 Pt. WISH（Weltek Indonesia Sejahtera）

インドネシア出張報告（2013年）

1．日時

　12／6〜12／11の6日間の出張で、12／6〜12／9はインドネシア元実習生の家庭を訪問した。12／9〜12／11はジャカルタのSultanホテルで開催されたWelding Festaへの参加であった。このWelding Festaは日本溶接協会およびインドネシア溶接協会の共催で、日本の出版社"産報出版"の企画によるものであった。この出張の目的はFestaへの参加であった。

2．内容
2．1．　元研修生・実習生との再会（12／6〜12／9）
（1）スケジュール
　　①チカラン泊（12／6、12／8）
　　②スカブ泊（12／7）

（2）内容
　オクのチカランのアパートで仲睦まじい家族の写真を撮った（**写真1**）。今回もチカランのジャエナルの家に寄った。今回はお父さんが健康を回復され、元気そうであった（**写真2**）。ジャエナルは現在ジャカルタまで電車通勤（片道約1.5時間要）で、保険会社に勤めている。

　チカランからスカブミまで約130kmで、渋滞のなか夕方スカブミに着き、アマルの家に寄った。立

写真1　オクの家族

派な家で、お父さん
ともいろいろ仕事の
ことについて話した
（内容は省略）。ア
マルの奥さんのヤテ
ィさんも歓迎してく
れた（写真3）。

写真2　ジャエナルの家族と玄関で

　スカブミに住むオクの家族と
食事を全員で一緒にした（写真
4＆写真5）。翌日（12／8）
はオクの家に寄り、釣りを楽し
み（写真6）、お母さんの手造
りの料理を味わった。当日（12
／7）はスカブミに泊まった（環
境が素晴らしく、立派なホテル
であった）。

写真3　アマルの家族と応接室で
（日本での写真が壁に飾ってある）

　オクの池にはオクが放してい
る魚がいる。この魚は川魚では
あるが、その味は捨てたもので
はない。また、庭にはバナナの
木が植えてある（写真7）。バ
ナナは一度しか実がならず、そ
の後は自然に朽ちる。
　12／9の朝一番、Trim Rubber
の川村社長（川村貢氏）のお言

写真4　オクの大家族と一緒に

写真5　オクのお母さんとおばあさんと

葉に甘え、表敬訪問をさせて頂いた。敷地は狭いものの、非常にきれいなゴム製品製造工場であった。はじめてゴムの加硫という言葉を聞いた。丁重に接して頂いた川村社長の人柄に感激した。また、オクがこのような会社に勤められて良かったと思えた。

写真6　オクの池で魚釣りに興じる

写真7　バナナの房

2．2．Japan welding festa in Indonesia（12／10）

　インドネシア溶接学会が日本溶接協会に要請し、産報が企画したインドネシア溶接学会および日本溶接協会共催の Welding festa であった。ジャカルタの中心地にある Sultan hotel（元 Hilton hotel）で開催された（約150人が参加した。添付の案内参照）。発表は9：00〜17：20で、その後立食形式で懇親会（Exchange meeting）が設けられた。参加日本企業は以下の通りである。

①Key technologies for welding robots for thick plate welding（神戸製鋼所）
②Panasonic welding robot solution（パナソニック）
③Cutting technology as the process before welding（小池酸素）
④State-of-art welding equipment supporting automation of production in Japan（ダイヘン）

⑤Characteristics of seamless flux-cored wire and application example of plasma welding（Nippon steel &sumikin）

⑥Introduction of Nissan Tanaka thermal cutting technology（日産田中）

⑦Spot welding technology and market trend（ナ・デックス）

　Exchange meeting で我社よりインドネシア実習生とインフラ用機器のメンテナンス技術について、約20分話した。立食中でもあり、またスクリーンが使用できない状況下であったため、余り手応えがなかった。ただし、数人の参加者の強い興味を示す視線を感じた。

3．まとめ

　12／13に東京の如水会館で、特殊材料溶接研究委員会の50周年記念行事があり、その中で、溶接協会の宮田会長（名古屋大学名誉教授）と話す機会があった。その際に、インドネシアでの Welding Festa の状況を伝えたところ、“日本溶接協会ではアジア溶接連盟及び溶接管理技術者資格認証を通してアジア諸国との交流を推進しており、ご支援、ご協力頂くことがあるかと思います。その節は宜しくお願い申し上げます。”とのお言葉を頂いた。今回のインドネシア訪問がそのような状況に活かされることを望む。

（以上）

インドネシア出張報告（2014年）

１．日程

平成26年11月22日〜27日

２．概要

２．１．実習生との懇親

アリフは Pt. Junbata の桑原社長と共にジャカルタで私を出迎えてくれた。11／22にジュンバタの桑原さんの車に乗せられ、Cikaran の Cikaran Grand Hotel に着き、みんなを待った。約２時間後にオク、ジャエナル、アマル、ビロンおよにビロンの弟がやってきた。合計７人で夕食会となった。

JICA の補助金によるインドネシアでの現状調査プロジェクトの話とその後の事業の話をした。アリフは目を輝かせ、アマルは静かに、オクとジャエナルはある程度知っているという感じで、ビロンはあまり興味を示さず、聞いていた。

翌日（11／23）、アリフ、オク、アマルと食事を"都"で摂った。オクとはチカランで別れ、アリフとアマルと私が再度桑原さんの高級車で帰路に着いた。途中、アリフの親戚の家（現在アリフが笹塚勤務の為に下宿している親戚の家）により、そこで別れて私は桑原家に着いた。

２．２．ジュンバタの桑原さんとの行動

11／23〜11／26の４日間桑原宅にお世話になった。朝から晩まで全てお世話になり、美味しい和食の毎日であった。この３日間いろいろ話をしたが、大きな目的は PLN のスララヤ発電所での技術説明会であった。

（１）Pt. Indonesia Power との接点

Indonesia Power は PLN の下でメンテナンスを展開している会社で、前スララヤ発電所長で、Deputy General Manager Operation &

Maintenance の Budi さんと会い、昼食を共にした（他に関係者２人あり）。

（２）PLN スララヤ発電所での技術講演

"Technical information on maintenance work in Japan" と題する内容でボイラパネルおよびミルの再生について話した。写真の如く、25名の幹部が約２時間の説明にも拘わらず熱心に聞いてくれた。彼らは現在ボイラパネルに関して問題を抱えているようであり、またミル（SPSミル）に関しては再生しているが、取外して補修しているようである。今後具体的にその実態知る事ができる筈である。

なお、スララヤ発電所は400MWx４基＋600MWx３基（いずれもバブカナダと三菱で、90％を超す稼働率）＋625MWx１基（上海、稼働率50％以下）の計4025MW のインドネシア最大の発電所である。

最後にみんなで記念撮影をした。スララヤ発電所のスローガンは"Agen Perubahan" で、Innovation という意味である。現状を改善していこうと皆で、誓いを立てた。前列の一番左が副所長の Mt.Hari Cahyono である。講演後に挨拶をした。

桑原さんといろいろのケースについて話した。現地法人、駐在事務所

等について、また JKN を含めた話でもあった。急遽 JKN の倉庫を見る気になり、車で飛ばした。ジュンバタの事務所より約40kmで小１時間かかったような気がする。倉庫は12mx25mであり、改造すれば工場にもなると思う。場所は工業団地内のいい場所で、立ち上げる限られた期間に限定すれば使える。

３．雑感

　今回 PLN で講演し、スララヤ発電所の雰囲気を知る事が出来た。また、JKN の事務所と倉庫を具体的な対象と考えてみることができた事は収穫であった。次回（来年春）はもっと具体的に詰めることとする。

（以上）

State of Electric Power in Indonesia（2015年）

JOURNAL OF WELDING FOR ASIAN-PACIFIC

Welding Promenade

Vol. 19
June 2015

www.sanpo-pub.co.jp

SANPO PUBLICATIONS, INC. JAPAN

HIGHLIGHTS

AWF News / 23rd AWF Meeting in Kanchanaburi, Thailand
Singapore Adopts Japan's Welding Certification System

Area Spot-1 / Vietnam Nhat Tan Bridge (Japan-Vietnam Friendship Bridge)
Area Spot-2 / Myanmar Initiative of National Skills Qualification Framework (NSQF) and Welder Certification System in Myanmar
Feature / Serial Lecture Easy Description of Weld Arc Phenomena for Welders
　　　　Part IV: Control of phenomena associated with consumable electrodes and the weld pool (2)
Editor's Choice / Note / State of Electric Power in Indonesia
Hot News / Japan International Welding Show 2016 Osaka, Japan, April, 2016 (2)
Statistics / Monthly Crude Steel Production
Product Reviews
A Window Into the World: The Newsletter of the AWS 10
Guide to International Events
Welding Promenade Now Available for Mobile Devices

Sanpo Publications, Inc.

State of Electric Power in Indonesia
Business trip Report

Toshikazu Aota, Welding Alloys Japan Ltd.

and now Deputy General Manager for Operation & Maintenance, for lunch.

2) Technical lecture at Pt. PLN's Suralaya Power Station

I gave a presentation about the restoration of boiler panels and mills, under the title "Technical information on maintenance work in Japan." As the photos show, a number of executives listened intently, despite the fact that my presentation continued for approximately two hours. It appears that they are currently grappling with problems relating to the boiler panels of a mill they had removed from service to repair.

Finally, we all posed for a commemorative photo together. The slogan of Suralaya Power Station is Agen perubahan, which means "Innovation." All of the executives pledged to work together to improve the current situation. The person on the far left in the front row is Deputy General Manager Mr. Hari Cahyono, whom I greeted after the lecture.

In February 2015, I gave another technical presentation to executives at the Sunbar Thermal Power Station (Pt. PLN, 112 MW × 2), and confirmed that they were experiencing similar problems with their power generation systems. Then, in April, I again visited Indonesia Power in order to inquire about the problems in greater depth and conduct an information exchange.

At my presentation at Indonesia Power, President Mr. Budi and Mr. Lufti of Pt. Best, two of the company's top executives, came along to listen. The title of my presentation was "One Example of Maintenance Technology for Energy Infra in Japan (April, 7, 2015)."

On the whole, everyone at Indonesia Power appeared to be engrossed in the presentation.

Later, a lunchtime discussion was held with Mr. Budi and Mr. Waluyo, the President Commissioner and top technical advisor of Pt. Beat, respectively, who were unable to attend the presentation. Joining the meeting from our side was Mr. Kuwahara, Mr. Kobayashi, and Mr. Banban (from Junbata), making a total of six in all.

From our discussion, we learned the following:

(1) Mr. Waluyo's was of the opinion that it would take three years to confirm the effectiveness of our technology. I attempted to correct his view by emphasizing the following points, which seemed to convince him:

a. This technology is already well known in Europe and America and is widely used. Its effectiveness has also been verified in Japan, and it is set to be deployed widely in the years ahead for commercial thermal power plants and independent power producers (IPPs).

b. While this is the fourth time we have visited Indonesia to make presentations, we are not coming just to make speeches. It's time to verify the technology, and we would like to hold discussions about specific repairs.

c. In the years ahead, many new power generation plants are expected to be built in Indonesia, so systematic maintenance will be very important. Even at that late stage, our technology will be very important.

(2) Referring to the pronouncements of the country's president, Indonesia is trying its utmost to use its own technology for manufacturing as a matter of national policy. However, Pt. Best and Pt. Junbata are developing a complementary relationship.

As outlined above, WAJ has conducted various field surveys to investigate the possibility of entering the Indonesian market. However, since our discussions with Pt. PLN in the course of these surveys so far have been informal, after this current survey, which is supported by the Japan International Cooperation Agency (JICA), we want to move towards official discussions with Pt. PLN, make a full-fledged effort to enter the Indonesian market, and take up the challenges that present themselves.

In the years ahead, it is estimated that Indonesia will need to invest around 200 trillion rupiah per year in its power industry to construct power stations and other infrastructure. According to the country's Ministry of Energy and Mineral Resources, while total power capacity currently stands at around 50,000 MW, Indonesia's total power demand is set to reach 240,000 MW by 2030. To satisfy that demand, at least 12,700 MW of generating capacity will need to be added every year.

Welding Alloys Japan (WAJ) wants to help improve Indonesia's power plant capacity utilization rate and ensure a more stable power supply by conducting surveys on the diffusion of systematic maintenance technology for the coal-fired boilers and related auxiliary equipment used in electric power generation, and by utilizing the automated weld overlay technology it has developed to restore and enhance performance, as appropriate. The company is also working to promote the concept of preventive maintenance in order to effectively safeguard Indonesia's state-managed electric power utilities, and by upgrading them with advanced technologies. In the paragraphs below, WAJ Chief Executive Officer (CEO) Toshiichi Aota reports on the results of field surveys conducted during two visits to Indonesia in November 2014 and April 2015.

Between June 9 and 15, 2014, while focusing on the area of energy infrastructure restoration, we conducted an independent survey of business potential in Indonesia. During that visit, I had the opportunity to evaluate the state of the Tarahan Thermal Power Station, which is a 10-year-old (100 MW × 2 boiler/turbine set) electricity generation facility powered by coal-fired fluidized bed boilers operated by Perusahaan Listrik Negara (Pt. PLN), Indonesia's state owned electric power company. We confirmed that one of the major problems the plant was experiencing was caused by water pipe deterioration due to abrasion.

In November 2014, I returned to Indonesia to hold technical discussions with Pt. PLN at their Suralaya Thermal Power Station (SPS). With eight boiler/turbine sets and a total generating capacity of 4,025 MW, SPS is the largest power plant in Indonesia. This station operates four 400 MW and three 600 MW plants (a mix of Babu Canada and Mitsubishi units that have utilization rates higher than 90%) as well as one 625 MW plant (Shanghai unit, utilization rate 50% or lower).

During that visit I also gave a presentation on Japanese maintenance technology to an audience of 25 plant officials, and learned about the many maintenance problems the participants currently faced at the power station during the discussions that followed.

1) Contact with Pt. Indonesia Power

Indonesia Power is a Pt. PLN subsidiary that implements power station maintenance. During our visit, I joined one of their executives, Mr. Bodi, a former head of the Suralaya Power Station

Electric Power situation and Training of Welding Personnel in Indonesia （2018年）

Electric Power Situation and Training of Welding Personnel in Indonesia

Toshi-ichi Aota
Welding Alloys Japan Ltd.

In an issue of Welding Promenade back in 2013, I discussed seven former trainees who returned to Indonesia after receiving three years of training at Welding Alloys Japan ("Business trip - Visiting former interns in Indonesia").

▲ Photo 1: Talking together at the Grand Cikarang Hotel

Thanks to the support of the Japan Indonesia Association For Economy Cooperation (JIAEC), during their three years in Japan, the trainees had the opportunity to learn about weld overlay cladding with our company. Since they were unable to return home except in exceptional circumstances, I became something of a father figure for the young men, who were all around 20 years of age. In this spirit, I treated them in virtually the same manner as I would any of our Japanese employees, who also made every effort to make them feel at home. Whether or not they were able to appreciate it, as we worked together, I tried to teach them about responsibility, the significance of working, the importance of learning, and also about the social responsibility of a company.

After the trainees returned to Indonesia, I visited their family homes and residences every year. This allowed me to get a glimpse into their lives.

On my first visit to Indonesia in December 2012, we met at the Grand Cikarang Hotel and talked about their future (Photo 1). I touched on the fact that while living in their home country they were unable to take advantage of all that they had learned in Japan. We wondered whether there was something that could be done about this. We thought, "What if they could apply even a part of the skills and technical expertise that they developed in Japan?" Leaving aside the question of feasibility, I felt strongly that they too wanted to make use of what they learned, if possible.

1. State of maintenance in Indonesian power plants

In December 2013, I attended a symposium at the Sultan Hotel in Jakarta organized by the Indonesian Welding Society (IWS) and the Japan Welding Engineering Society (JWES). During a buffet-style dinner party, I gave a talk titled, "Technical information on the maintenance business in Japan." Despite the fact that it was a dinner, I was aware that a number of Indonesians were listening to what I said very intently (Photo 2). I was so impressed that I felt an urge to investigate actual conditions in Indonesia. After a subsequent survey and interviews with officials in Indonesia, I believed that I had a grasp of the real state of power plant maintenance in Indonesia to some extent.

I then recounted my experience in Vol. 19 of this journal, published in June 2015 ("The state of electric power in Indonesia").

Electricity is necessary for industrialization in any country. It could be called an essential energy infrastructure. Given that Indonesia's population is 250 million, for improving the quality of electricity and increasing total power generation capacity in Indonesia, it is important to not only establish more power plants but also conduct systematic maintenance of existing power facilities. The major obstacles to achieving this are the tendency to repeatedly treat problems with band-aid solutions, and the rampant KKN (korupsi = corruption, kolusi = collusion, nepotisme = nepotism) that afflicts the country. For the future of industrialization,

▲ Photo 2: Scene of discussion

it is absolutely vital to dramatically improve the situation, by training people, by employing high-quality material, and by introducing new technologies.

1. A survey of power generation by coal-fired boilers in Indonesia

(1) Activities of PLN and Indonesia Power

Through my experience of giving technical explanations, lectures, and demonstrations at the power plants of Indonesia's "State Electric Company" Pt. PLN (hereinafter "PLN") and to Pt. Indonesia Power (hereinafter "Indonesia Power"), a company that handles the maintenance of the power generation facilities of PLN, I have attempted to introduce Japanese maintenance technologies and to show the importance of looking at technology in terms of cost-effectiveness. I became acutely aware that although Indonesian people are quite capable of understanding superior technologies and systems, merely offering them explanations and demonstrations does not inspire them to review their maintenance technology or to reduce maintenance costs.

It is commonly said that corrosion and wear account for an amount of maintenance business equivalent to 3 to 5% of a country's GDP. On top of the initial investment, various kinds of plant and equipment require maintenance, and it is also necessary to systematically implement voluntary and statutory inspections. The desire and readiness to monitor the state of plant deterioration through voluntary inspections and to conduct thorough reviews of all systems by means of statutory inspections are essential in any country. This is the right attitude and approach to maintenance at power plants.

(2) Ideal maintenance of energy infrastructure

In developing systematic maintenance plans for important power plants, through the above-mentioned activities, the concept of making decisions based on cost-effectiveness is vital.

For future industrialization, making drastic improvements by a readiness to train personnel, employ high-quality material, and introduce new technologies is indispensable. At the same time, measures to combat KKN are also required. In relation to this matter, it is encouraging that the current government of Joko Widodo is striving to eradicate KKN through its "KKN Countermeasures Team" as it promotes its "35 GW Project" (a project to add 35 GW of power generation capacity in the next 5 years).

2. A case study of actual repair technology

(1) Approach to best maintenance of actual power plants

During the past two years, I have visited both PLN and IPP power plants in Indonesia, where I attempted maintenance work on real equipment

▲ Photo 3: Two coal grinder mill rollers are repaired automatically and simultaneously inside the mill facility

▲ Photo 4: Simulation and demonstration of boiler panel maintenance in a furnace

together with my former trainees. At the Lontar Power Station and Labuan Power Station, we successfully conducted (in-line) automatic repairs of coal grinder mills. Photo 3 shows two coal grinder mill rollers being automatically repaired simultaneously inside the mill facility. We are also trying to apply a similar approach to fixing boiler panels with problems due to corrosion and erosion. Photo 4 shows the simulation and demonstration of maintenance on boiler panels in a furnace.

As a result of several such experiences, we have high hopes of seeing the implementation of more systematic maintenance in the near future, based on fresh ideas.

(2) Barriers to maintenance experienced in actual work

After we ordered repairs of actual machines, we experienced some obstacles to performing the needed work. There are various other problems besides the above-mentioned ones of lack of focus on cost-effectiveness and KKN, for example, a lack of bottom-up initiative, low labor quality, an inability to keep commitments, long waits to collect accounts receivable, and traffic congestion. Although these problems cannot be resolved easily, for Indonesia, they are major barriers to becoming an industrialized country.

3. Preparing to establish a new company

(1) Negative Investment List for maintenance projects in Indonesia

According to regulations, only Indonesian (local) companies can engage in the business of maintenance in Indonesia. Thus, the maintenance of power plants must be performed by Indonesian companies.

(2) Setting up a new company

In accordance with the regulation mentioned

above, only an Indonesian company can engage in power plant maintenance work. As a result of such regulations, my former trainees need to cooperate in creating a new company, which will enable them to make use of skills and technical expertise that they acquired in Japan. This is the situation we are working to create now, and we are already at the stage of making it a concrete reality.

4. Vision of the new company

(1) The viability of a maintenance business in Indonesia

We strongly believe that for Indonesians to be successful, it is essential to overcome various common practices in Indonesia in order to establish a company with the characteristics listed below. Essentially, this is what I taught the trainees in Japan. The question is whether this can be done.

(1) A company that recognizes its social mission
(2) A company that values local initiative, holism, and customer satisfaction
(3) A company in which top-down and bottom-up coexist harmoniously
(4) A company committed to human resource development, technology development, and proposal-based selling
(5) A company that strives to share information

(2) A challenge for young Indonesians

In developing the maintenance business described above, we expect to face various difficulties, but I believe in the enthusiasm and execution abilities of my former trainees. I also hope that the business will provide employment opportunities for other Indonesian trainees that return home from Japan in the future. Finally, I hope that this project helps to bring about a major shift in thinking within Indonesia's maintenance industry.

Maintenance Business in Indonesia（2019年）

Maintenance Business in Indonesia

▲ Mr. Aota, a man with a burning commitment to power station maintenance in Indonesia

Welding Alloys Japan continues to accept technical interns from Indonesia, as described in previous reports. We reported on the successful experience of some of these trainees when they returned to Indonesia after three years of training in Japan, and also on the state of electric power generation at an Indonesian power plant.

For this article, I spoke to Mr. Toshi-ichi Aota about the maintenance technology used at power stations in Indonesia and about the associated maintenance business in Indonesia.

Electric power is essential for the industrialization of any country, as a vital element of energy infrastructure. Given its population of around 250 million people, Indonesia needs to improve the quality of its electricity and to increase its total power generation capacity, for which construction of new power generation plants and systematic maintenance of existing power plants are both important.

On the other hand, over the next 20 years, the country's energy mix is likely to change significantly. For this reason, the maintenance of electric power facilities utilizing overlay welding and other welding methods will become increasingly important over the coming years. These are the circumstances under which Indonesian President Joko Widodo is aiming to lift his country into the top 10 industrialized nations of the world by 2025 as a national policy goal. There is a project now in place to add a total of 35 GW of new electric power generation capacity over the next five years, for scheduled completion by 2021. Nevertheless, Indonesia still suffers from frequent power outages, and the quality of electricity remains quite poor.

Mr. Aota of Welding Alloys Japan describes his experience with some of the difficulties faced by the company in working on the Indonesian power generation equipment that it was requested to repair. He says that in the maintenance planning of power generation plants in Indonesia, the idea of making judgments based on cost-effectiveness is lacking, and he also points to the need for so-called KKN measures. Mr. Aota enumerates a number of other problems: the concept of "bottom-up" is not sufficiently understood, the quality of labor is low, promises are often not kept, accounts receivable terms are too long, and road traffic is very heavy. Although these problems cannot be easily reduced, they are major obstacles to Indonesia's ambition to become an industrialized country.

Despite these difficulties, on October 2 of the previous year Mr. Aota launched a company, Pt. Weltek Indonesia Sejagtera (WISH), in Bogor, Indonesia, to pursue maintenance of Indonesian electric power stations as a business.

The formation of the company was necessary because a regulation dictates that only Indonesian companies can engage in the business of maintenance at the country's power plants. The company has been required to realize a workplace in which the former trainees can cooperate closely with each other and make full use of the skills and techniques that they learned in Japan. In light of this, the new company is envisioned as (1) a company that recognizes its social mission; (2) a company in which a focus on customer satisfaction penetrates every workplace, throughout the company (3) a company in which top-down and bottom-up approaches coexist; (4) a company that implements personnel training, technology development, and sales proposal thoroughly; and (5) a company that strives to share information.

The new company has started executing power station maintenance work in Indonesia, as well as local maintenance business utilizing overlay welding. Currently, local on-site construction work accounts for 95% of the company's work, but there are plans to increase factory fabrication work to 30%. Mr. Aota will serve as a senior strategic adviser to help educate and nurture local personnel.

著 者 略 歴

昭和20年（1945年）２月２日　兵庫県神崎郡船津町仁色4975 - 1において、
青田惣一、ふさゑの間の第五子（三男）として生を享ける。

昭和35年（1960年）３月　姫路市立神南中学校卒業
昭和38年（1963年）３月　姫路市立飾磨高校卒業
昭和43年（1968年）３月　大阪大学工学部機械工学科卒業
昭和43年（1968年）４月　川崎重工業株式会社入社　ボイラ事業部に配属
　　　　　　　　　　　　　（溶接研究室兼任）
昭和58年（1983年）８月　同社を自己都合退職
昭和58年（1983年）８月　日本弁管工業株式会社に入社
昭和61年（1986年）12月　同社を自己都合退職
昭和62年（1987年）１月　創研工業株式会社に入社
平成６年（1994年）12月　同社を自己都合退職
平成７年（1995年）１月　日本ウェルディング・ロッド株式会社に入社
平成11年（1999年）９月　同社を自己都合退職
平成11年（1999年）10月　株式会社ウェルディングアロイズ・ジャパンを創
　　　　　　　　　　　　　業（社長に就任）
平成29年（2017年）１月　株式会社ウェルディングアロイズ・ジャパンの社
　　　　　　　　　　　　　長を辞し、会長となる
平成29年（2017年）10月　Pt. Weltek Indonesia Sejahtera（溶接技術によ
　　　　　　　　　　　　　るインドネシアの繁栄という意味、略称 Pt.
　　　　　　　　　　　　　WISH）を設立、WA Japan での実習生を中心と
　　　　　　　　　　　　　して事業を開始
令和元年（2019年）10月　株式会社ウェルディングアロイズ・ジャパン創業
　　　　　　　　　　　　　20周年を迎え、大宮パレスホテルで記念式典を開催

技 術 論 文 発 表

1. 外国語論文リスト

1) Insert - type Electron Beam Welding Technology （ Report 1 ）： Characteristics of Insert - type Welding ； ARATA Yoshiaki, TERAI Kiyoshi, NAGAI Hiroyoshi, FUTAMI Iwao, SHIMIZU Shigeki, AOTA Toshiichi ； Transactions of the Japan Welding Society 4 （1）, 63-81, 1973

2) Some Considerations on Internal Welding of Small - size Tubes for Nuclear Plants ； INAGAKI Michio, OKADA Akira, SHIMIZU Shigeki, AOTA Toshiichi

Transactions of the Japan Welding Society 5 （2）, 152-159, 1974

DVS 主催 Second International colloquy （デュッセルドルフで開催） に 参 加 し 、 "Some consideration on internal welding of small-size tubes" として論文発表（日本より3名参加）

3) Fundamental Studies on Electron Beam Welding of Heat - resistant Superalloys for Nuclear Plants （ Report I ）：Effect of Welding Conditions on Some Characteristics of Weld Bead ； Arata Yoshiaki, Terai Kiyohide, Nagai Hiroyoshi, Shimizu Shigeki, Aota Toshiichi ； Transactions of JWRI 5 （2）, 219-226, 1976-12

4) Fundamental Studies on Electron Beam Welding of Heat - resistant Superalloys for Nuclear Plants （ Report II ）：Correlation between Susceptibility to Weld Cracking and Characteristics in Hot Ductility and Trans - Varestraint Test ； Arata Yoshiaki, Terai Kiyohide, Nagai Hiroyoshi, Shimizu Shigeki, Aota Toshiichi ； Transactions of JWRI 6 （1）, 69-79, 1977-06

5) Fundamentale Studien zum ElektronenstrahlschweiBen von Hitzebestan-digen Legierungen fur Kernkraftanlagen （Bericht 3）： Metallurgische Betrachtungen uber MikroriB ； ARATA Yoshiaki , TERAI Kiyohide, NAGAI Hiroyoshi, SHIMIZU Shigeki, AOTA Toshiichi； Transactions of JWRI 6 （2）, 235-250, 1977-12

6) Fundamental Studies on Electron Beam Welding of Heat - resistant

Superalloys for Nuclear Plants（Report 4）; Temperature and Stress Distribution during Welding ; Arata Yoshiaki, Terai Kiyohide, Nagai Hiroyoshi, Shimizu Shigeki, Aota Toshiichi, Ikemoto Yoshikazu ; Transactions of JWRI 7（1）, 41-48, 1978-06

7）Fundamental Studies of Electron Beam Welding of Heat‐resistant Superalloys for Nuclear Plants（Report 5）: Mechanical Properties of Welded Joint ; Arata Yoshiaki, Terai Kiyohide, Nagai Hiroyoshi, Shimizu Shigeki, Aota Toshiichi, Satoh Keisuke, Ikemoto Yoshikazu ; Transactions of JWRI 7（2）, 221-231, 1978-12

8）Fundamental Studies on Electron Beam Welding of Heat resistant Superalloys for Nuclear Plants （Report IV）: Effect of High Temperature He on the Properties of Weld Joints（Materials, Metallurgy, Weldability）
Arata Yoshiaki, Terai Kiyohide, Nagai Hiroyoshi, Shimizu Shigeki, Aota Toshiichi, Murakami Takashi ; Transactions of JWRI 8（1）, 33 -41, 1979-06

9）〜11）IIW（国際溶接会議）年次大会論文発表 ; トロント大会（論文のみ）、コペンハーゲン大会およびダブリン大会（出席）（計3回）; いずれも IIW -IV委員会で発表

2．日本語論文リスト

1）電子ビーム溶接時に使用するインサートメタルに関する研究 ; 二見　巌, 寺井　清, 清水　茂樹, 青田　利一, 永井　義夫, 平田　博康 ; 溶接学会全国大会講演概要（9）, 195-196, 1971

2）ビード形状におよぼす影響 : インサートメタルを用いた電子ビーム溶接に関する研究（第2報）; 荒田　吉明, 寺井　清, 永井　義夫, 二見　巌, 清水　茂樹, 青田　利一 ; 溶接学会全国大会講演概要（10）, 169-170, 1972

3）冶金的, 機械的特性におよぼす影響 : インサートメタルを用いた電子ビーム溶接に関する研究（第3報）; 荒田　吉明, 寺井　清, 永井　義夫, 二見　巌, 清水　茂樹, 青田　利一 ; 溶接学会全国大会講演概要（10）, 171-172, 1972

4）AISI 316 オーステナイト系ステンレス鋼溶接部の熱処理に関する研究；寺井　清，樽林　駿一，清水　茂樹，青田　利一，村上　孝士，清水　正造；溶接学会全国大会講演概要（11），62-63，1972

5）管内面溶接法の確立について；稲垣　道夫，清水　茂樹，青田　利一；溶接学会全国大会講演概要（13），208-209，1973

6）インサート型電子ビーム溶接の特性とその実用化に関する研究（第1報）：溶接条件選定に関する基礎実験；荒田　吉明，二見　巌，寺井　清，永井　裕善，清水　茂樹，青田　利一；溶接学会誌　43（9），931-943，1974

7）インサート型電子ビーム溶接の特性とその実用化に関する研究（第2報）：溶接部の冶金的，機械的特性；荒田　吉明，二見　巌，寺井　清，永井　裕善，清水　茂樹，青田　利一；溶接学会誌　43（10），981-990，1974

8）ASTM A 542 Cl. 1 厚鋼板の溶接に関する検討（第一報）：溶接性に関する検討；寺井　清，清水　茂樹，青田　利一；溶接学会全国大会講演概要（16），148-149，1975

9）原子炉用耐熱材料の電子ビーム溶接に関する基礎的研究（第1報）：溶接ビード断面特性におよぼす溶接諸元の検討；荒田　吉明，寺井　清，永井　裕善，清水　茂樹，青田　利一；溶接学会全国大会講演概要（16），334-335，1975

10）原子炉用耐熱材料の電子ビーム溶接に関する基礎的研究（第2報）：材料の高温延性とミクロ割れの関連性；荒田　吉明，寺井　清，永井　裕善，清水　茂樹，青田　利一；溶接学会全国大会講演概要（17），342-343，1975

11）原子炉用耐熱材料の電子ビーム溶接に関する基礎的研究（第3報）：材料の高温延性と溶接部のミクロ割れとの関連性；荒田　吉明，寺井　清，永井　裕善，清水　茂樹，青田　利一；溶接学会全国大会講演概要（19），242-243，1976

12）原子炉用耐熱材料の電子ビーム溶接に関する基礎的研究（第4報）：Trans-Varestraint 及び Varestraint 割れ試験結果と溶接部のミクロ割れとの関連性；荒田　吉明，寺井　清，永井　裕善，清水　茂樹，青田　利一；溶接学会全国大会講演概要（19），244-245，1976

14) 原子炉用耐熱合金の電子ビーム溶接に関する基礎的研究（第6報）：溶接中の応力分布に関する検討；荒田　吉明，寺井　清英，永井　裕善，清水　茂樹，青田　利一，池本　喜和；溶接学会全国大会講演概要（21），218-219, 1977

15) 原子炉用耐熱合金の電子ビーム溶接に関する基礎的研究（第7報）：溶接部の高温強度特性に関する検討　荒田　吉明，寺井　清英，永井　裕善，清水　茂樹，青田　利一，佐藤　瓊介，池本　善和；溶接学会全国大会講演概要（21），220-221, 1977

16) オーステナイト系ステンレス鋼のEB溶接に関する研究：高温強度特性；寺井　精英，松井　繁朋，永井　裕善，森　英介，清水　茂樹，青田　利一；溶接学会全国大会講演概要（21），222-223, 1977

17) 大型圧力容器用ASTM A 542 Cl. 1 鋼の溶接性；清水　茂樹，青田　利一，笠原　正幸；火力原子力発電　28（5），p 451-460, 1977-05

18) 原子炉用耐熱合金の電子ビーム溶接に関する基礎的研究（第8報）：ミクロ割れ防止に関する検討；荒田　吉明，寺井　精英，永井　裕善，清水　茂樹，青田　利一；溶接学会全国大会講演概要（23），402-403, 1978]

19) 原子炉用耐熱合金の電子ビーム溶接に関する基礎的研究（第9報）：溶接継手の環境効果に関する検討；荒田　吉明，寺井　精英，永井　裕善，清水　茂樹，青田　利一，村上　孝士；溶接学会全国大会講演概要（23），404-405, 1978

20) オーステナイト系ステンレス鋼のEB溶接に関する研究（第3報）：EB溶接継手の高温疲労特性；須清　修造，松井　繁明，永井　裕善，森　英介，清水　茂樹，青田　利一，池本　喜和；溶接学会全国大会講演概要（22），226-227, 1978

21) 耐火金属の電子ビーム溶接に関する研究（第1報）：溶接性に関する検討；荒田　吉明，須清　修造，永井　裕善，清水　茂樹，青田　利一；溶接学会全国大会講演概要（25），224-225, 1979

22) 核融合炉のブランケットの構造設計；青田　利一［他］；川崎重工技報（76），p 64-72, 1980-10

23) 水中プラズマアーク切断法について；松井　繁朋，中山　繁，山下　清司，青田　利一，西崎　忠；溶接学会全国大会講演概要（33），184-185,

1983

24) ゴミ燃焼ボイラの腐食対策を目的とした水冷壁パネルの肉盛り溶接
　　―モックアップ試験―；足立　正博，青田　利一，小山　宏；廃棄物学
　　会研究発表会講演論文集＝Proceedings of the Annual Conference of
　　the Japan Society of Waste Management Experts 7（2），585-587，
　　1996-09-01

25) 技術解説　オープンアーク溶接法による連続鋳造ロールの耐磨耗性肉盛
　　溶接；青田　利一；溶接技術　50（8），113-117，2002-08

26) 技術トレンド　竪型ミルにみる肉盛溶接による再生技術；青田　利一，
　　福本　宏明；溶接技術　52（4），107-113，2004-04

27) わが社［ウェルディングアロイズ・ジャパン］の耐摩耗・耐食肉盛溶接
　　技術（特集　肉盛溶接最新事情）；青田　利一；溶接技術　56（9），76
　　-81，2008-09

28) 肉盛溶接の現状と今後の課題；青田　利一；溶接技術　60（9），86-90，
　　2012-09

29) 各種ボイラにおける耐食・耐摩耗溶接材料の実機による特性評価；後平
　　翼，白石　陽一，青田　利一；紙パ技協誌　71（2），147-152，2017

30) 微粉炭焚きボイラウォールデスラガ廻り火炉壁管への耐摩耗肉盛溶接の
　　適用；難波　一夫，平田　憲治，後平　翼，白石　陽一，青田　利一；
　　火力原子力発電＝The thermal and nuclear power 68（4），227-234，
　　2017-04
　　本論文は2018年度火力原子力発電誌論文賞を受賞したもので、2017年12
　　月に大阪で盛大な授与式が開催された。

31) 各種ボイラ火炉壁管の耐食・耐浸食肉盛溶接の適用とその効果；後平
　　翼，白石　陽一，青田　利一；溶接技術　65（5），100-107，2017-05

**3. Welding Promenade（"産報出版"による海外向け英文技術雑誌）掲
　　載；いずれもインドネシアのビジネス事情を発表（添付資料参照）**

1) State of Electric Power in Indonesia；Vol. 19；June 2015

2) Electric Power situation and Training of Welding Personnel in
　　Indonesia；Vol. 30；March 2018

3) Maintenance Business in Indonesia；Vol. 32；September 2018

4．著書（いずれも共著）

1）研磨布紙加工技術研究会編集；“新しい研磨技術”；オーム社
2）精密工学会編；“ナノメータスケール加工技術”；日刊工業新聞社
3）日本溶接協会特殊材料溶接研究委員会編集；“異材溶接ガイドブック”；
　　産報出版

表　　　　彰

①経営革新計画を継続的に実施し、“経営革新モデル企業”として表彰され
　る（2013年）。
②彩の国工場に指定され、経営者として表彰を受ける（2015年）。
③渋沢栄一ビジネス大賞を受賞し、経営者として表彰される（2015年）。
④火力原子力発電誌において平成30年度（2018年度）の論文賞を受賞する。

社 会 活 動 の 略 歴

平成元年（1989年）海外技術者研修協会（AOTS、現 HIDA）の非常勤講師
　　　　　　　　　となり、人材育成活動に従事する（約25年活動）。
平成11年（1999年）大宮木鶏クラブ（月刊誌『致知』の読者の会）を設立し、
　　　　　　　　　代表世話人として活動する（約10年活動）。
平成18年（2006年）日本溶接協会特殊材料溶接専門委員会のメンバーとして
　　　　　　　　　硬化肉盛溶接の分野で指導的立場として活躍する（約15
　　　　　　　　　年）。
平成21年（2009年）岩槻工業団地事業協同組合理事として活動する（約6年
　　　　　　　　　活動）。

裸一貫　54歳からの起業

令和2年10月1日　初版第1刷発行

著　者　　青田　利一

発行所　　関東図書株式会社
　　　　　〒336-0021　さいたま市南区別所3-1-10
　　　　　電話048-862-2901

Ⓒ2020 Toshi-ichi AOTA　　　　Printed in Japan